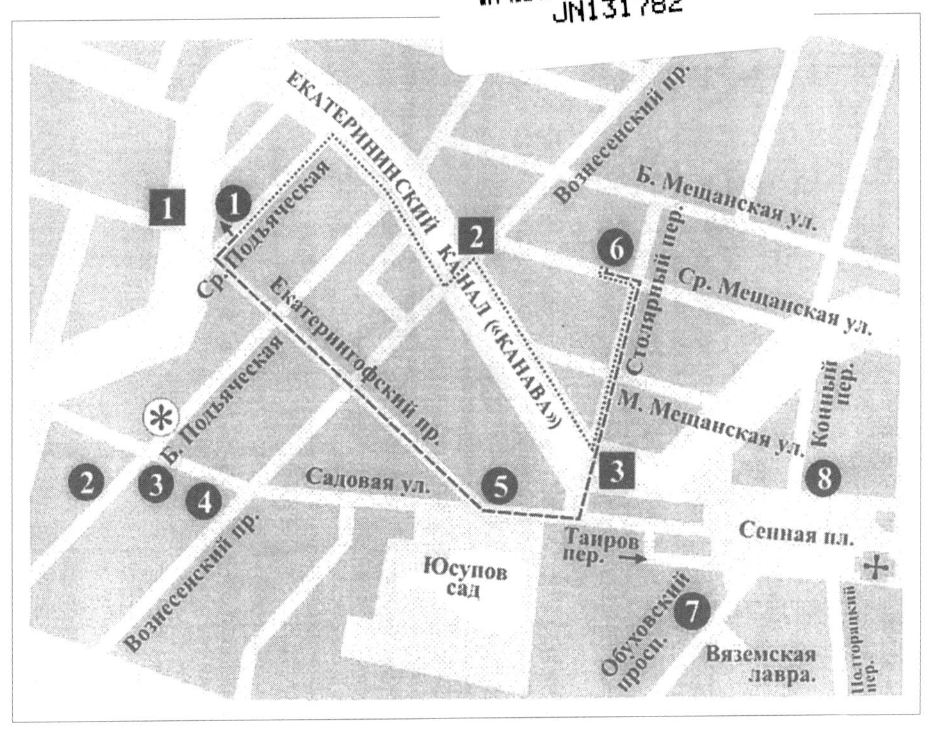

『罪と罰』関係地図

❶ アリョーナ・イワーノヴナ（金貸しの老婆）の住居

❷ 警察署

❸ スパースカヤ地域

❹ レストラン「水晶宮」

❺ 3階はソーニャの部屋

❻ ラスコーリニコフの部屋

❼ スヴィドリガイロフの居酒屋

❽ センナーヤ（干し草）広場

1 ハルラモフ橋

2 ヴォズネセンスキイ橋

3 コークシキン橋

矢印（細かな点線）　ラスコーリニコフの下見のコース

矢印（粗い点線）　ラスコーリニコフの殺人のコース

出典：Ф. М. Достоевский. Полное собрание сочинений：Канонические тексты.

Том7. Преступление и наказание. Петрозаводск, 2007

『名作に学ぶロシア語』読本シリーズ

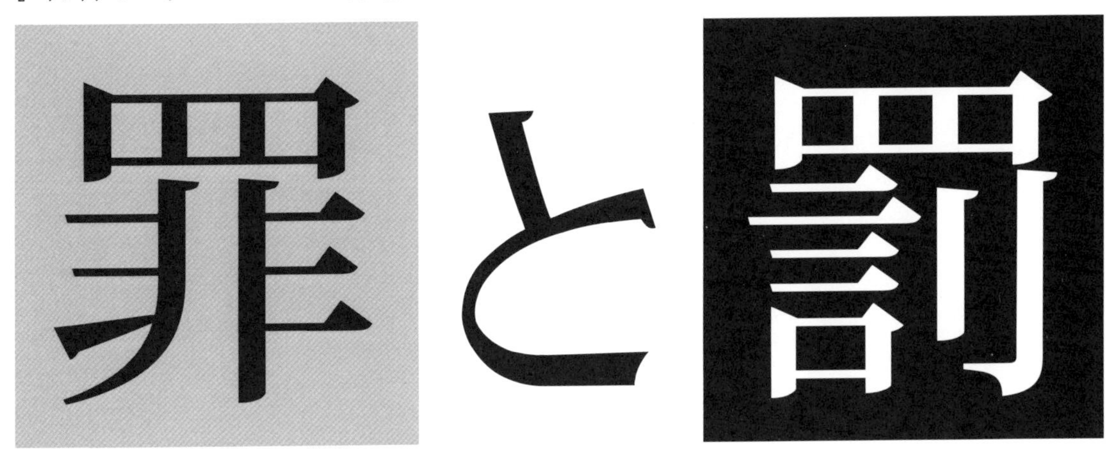

いま読み解くドストエフスキイ

井桁貞義

ナウカ出版

表 紙　:　デザイン（案）　井桁貞尚

見返し　:　『罪と罰』関係地図（Ф. М. Достоевский. Полное собрание сочинений: Канонические тексты. Том7. Преступление и наказание. Петрозаводск, 2007 所収の地図に日本語訳を付す）

目次

本書の特長と学び方 4	ロシアにおける文学研究の諸流派 7	
ポリフォニーについて 9	【鑑賞の手引き】大文字表記の裏にあるもの 11	
『罪と罰』カレンダー 筋 фабула 13	【日本では】で取り上げた作家 21	
第 1 課	冒頭を解読する 一人の若者が下宿から通りに出て行った	22
第 2 課	酒場で(1)《この人を見よ》	26
第 3 課	酒場で(2) 黙って銀 30 枚を置いた	30
第 4 課	酒場で(3) あの方は赦してくださる	34
第 5 課	犠牲とポリフォニー だって、ロージャのことじゃないか	38
第 6 課	殺人の場面 ラスコーリニコフは老婆を殺した	42
第 7 課	予期せぬ殺人 自分の顔を守るために	46
第 8 課	ネヴァ川上のパノラマ 華麗な光景なのに	50
第 9 課	マルメラードフの死 彼はむすめの抱擁の中で死んでいった	54
第 10 課	凡人と非凡人 自分の環境の中で、新しい言葉を言うことのできる	58
第 11 課	ラスコーリニコフの夢(1) 月のやつ、謎をかけているんだ	62
第 12 課	ラスコーリニコフの夢(2) 踊り場から下に向かう階段も、人で埋め尽くされ	66
第 13 課	スヴィドリガイロフの登場 田舎の風呂場の隅に蜘蛛が	70
第 14 課	若者たち 出版の見通しは立っています	74
第 15 課	ソーニャとの第 1 の晩(1) 人間のあらゆる苦しみに	78
第 16 課	ソーニャとの第 1 の晩(2) ユロージヴァヤだ!	82
第 17 課	ソーニャとの第 1 の晩(3) ラザロよ 出でよ!	86
第 18 課	マルメラードフの追善供養 すさまじい騒ぎ声と騒音が起こった	90
第 19 課	ソーニャとの第 2 の晩(1) これでもわからない?	94
第 20 課	ソーニャとの第 2 の晩(2) どうしたらいい?	98
第 21 課	ポルフィーリイとの対話 太陽になりたまえ	102
第 22 課	スヴィドリガイロフの役割 愛はないの? いつになっても?	106
第 23 課	十字架の象徴的意味 苦しみが足りない!	110
第 24 課	シベリアで見る夢 人びとは意味のない悪意にかられて互いに殺し合った	114
第 25 課	イルティシ川の岸辺で とうとうこの瞬間が訪れた	118
特別付録	「イワーノフ — プンピャンスキイ — バフチン」(ロシア語)	124
解　説	「イワーノフ — プンピャンスキイ — バフチン」	135
ロシア史ノート 137　あとがき 141　テキストと主要参考文献 143　著者紹介 145		

本書の特長と学び方

これまで日本になかったタイプの本ができた。ロシア語はもとより、ほかの言語の参考書にも類をみない。

第 1 に、『罪と罰』の名場面を厳選して、緻密に読み込む。筆者は『罪と罰』は恋愛小説として楽しめると同時に宗教文学であると考えている。そこで、ラスコーリニコフとソーニャの場面が多く取り上げられる。また、聖書と十字架をめぐる場面に光を当てた。脇役として見ているルージンについては、あまり多く取り上げなかった。

ピックアップした場面は、大学のロシア文学の授業でも教科書として使うことを想定している。その使い方はこの文章の後半で紹介する。

第 2 に、【鑑賞の手引き】を付けて、ドストエフスキイ研究の最前線の成果を紹介すると同時に、筆者のロシアやヨーロッパでの国際学会での体験を語っている。この部分だけ読んでも、読者は多くの刺激を受けるだろう。これを機会に、こんなに面白い『罪と罰』の原文に挑戦してくれることを期待している。

第 3 に、25 課にわたって、【日本では】という紹介を付けている。日本においてこれほど頻繁に「ドストエフスキイ」の名前や、彼の作品中の言葉が出て来る場面が引用されてきたのは、世界でも珍しい文学史上の現象である。日本文化は文学や映画、マンガなどで精力的にドストエフスキイを消化しようとしてきた。そのことを振り返り、ロシア文化と日本文化を新しい角度からとらえていくきっかけとなることを願っている（詳しくは井桁著『ドストエフスキイと日本文化』(2011 年) を参照)。

第 4 に、巻末に特別付録として国際学会で発表し好評を得たロシア語による論文を収録した。日本のドストエフスキイ研究者として海外で認められているのはサンクト・ペテルブルグで 2008 年に刊行された『ドストエフスキイ——作品　書簡　文書 Достоевский. Сочинения, письма, документы』によれば、Т. Киносита, К. Накамура, Т. Мотидзуки, К. Итокава と С. Игэта の 5 名の仕事である（井桁の論文については本書第 20 課で紹介した「大地—聖母—ソフィア」が挙げられている)。

これからの世代は、外国の研究者たちの引用からこしらえた、日本だけに通用する「紹介文」「思いつき」のパッチワークではなく、オリジナリティを持ったロシア語論文を、広く世界に発表していくことが求められる。私の「イワーノフ―プンピャンスキイ―バフチン」はポーランド語に訳され、ロシアの文学理論誌の依頼に応じて、1 回は転載され、また 5 回にわたってロシアの研究者たちに逆に引用された。バフチンの全集第 2 巻にはバフチンの『ドストエフスキイの創作の諸問題』が収められているが、その注（Сергéй Бочарóв 氏執筆による）でも 5 か所で引用されている。つまり、この論文はこれまでに 10 回は引用されたことになる。こうしたことも日本のこれまでのロシア文学研究では初めてである。

世界に認められたこの論文を、日本語概要を付けて本書に収録した。

教室で、また独習書としての本書の使い方のアドバイス

本書は教室で使用できるように編まれている。

新しいタイプの教材なので、少し細かく利用法を示しておきたい。これは独習する場合にも参考になると思う。

ロシア語の初級の教科書は日本でたくさん書かれてきた。しかし初級文法を終えた人々のための道筋は、必ずしも示されてきてはいない。

私ならこんな風に授業を始める――

初級文法を終えて目をキラキラさせて待っている学習者に、まずはロシアの音楽を聴いてもらうのはどうだろう？ おすすめはラフマーニノフ С. Рахмáнинов の「ヴォカリーズ Вокали́з: Op.34 No.14.」である。

この曲は『罪と罰』の登場人物たち、ラスコーリニコフやソーニャ、スヴィドリガイロフの愛の行方、魂を高みに招き、鎮魂する音楽のように感じられるのではないだろうか―― ラフマーニノフはドストエフスキイを読んでいただろうか？

「ではドストエフスキイを読みましょう」と言って本書は開かれる。独習者は「いざ、ドストエフスキイを読むぞ」と言ってどんどん進めば数日で終わる。

インターネットを駆使すれば、良質な朗読コンテンツにたどりつける。たとえば次のアドレス

https://knigavuhe.org/book/prestuplenie-i-nakazanie-2/

など、ブックマークしてある自分の PC を持ち込んで流せば、教室にロシアの朗読のスペシャリスト・役者のイントネーション、そのパセティックな調子が響きわたる。

❶インターネットで、この本の「テクスト」にあたるところの 1 分ほど前からロシア語による朗読の声を流して、この本の黒字で印刷してあるテクスト

の場所にきたら、耳を澄まして聞いている学生は、聞き取れた瞬間、間髪を入れず手を挙げる。ヒアリングの訓練である。授業にもゲーム感覚を！　予習してきているかどうかが力を発揮する。聞き取れた者の勝ちだ。朗読は最初のうちは「アッ」という間に通り過ぎてしまうが、少しずつ聞き取れるようになる。再生ソフトではスピードの調節もできて、ヒアリングには適当な遅さにもできる。ただ、あまり遅くすると、幽霊が出てきたようになってしまう（笑）。

❷初級文法を学び終えたばかりの学生にアクセントの示していない文章を読ませると、ほぼ70%は間違える。無理な要求なのだ。アクセント記号を目で認識したとしても、どのようなリズムになるのかがわからない。教員は怒り狂い、学生は呆然とする。このあたりから両者の関係がおかしくなったりもする。

本書では､出てくるロシア語には原則としてすべてアクセントを示した(単音節の場合はそこにアクセントがくるので、示さないことになっている)。アクセントというものが感情を表現するためにいかに大切な要素であるかは、朗読が教えてくれる。最初は、1 人の学生に 1 つの文章を割りあてておく。予習はしてきてもらいたい。

❸このテクストは、チームを組んで、「語り手」「ラスコーリニコフ」「ソーニャ」などの役を振れば、小さな語劇の台本にもなるだろう。マルメラードフ役の人は、酔っ払いのロシア語が身に付く（笑）。

❹ディクテーション（書き取り）ができるようになるかは「忙しい」学生への要求としては無理かもしれない。自宅で勉強している方には、挑戦してみることを薦める。PC が「15 秒前の朗読」を無限に繰り返してくれる。

教室の授業の後半のためには､【鑑賞の手引き】を取り上げて、ドストエフスキイについての雑談をおこなう。こちらは、どこで終わりのベルが鳴っても「あとは読んでおいてね」と自主性に任せることが出来る。また挙げられている日本文学に関するディスカッションで活躍する学生もいるだろう。卒論のテーマが見つかるかもしれない。

❺独習する方は、筆者が質問に答えたい。ナウカ出版宛てメールアドレスをご活用ください。そういう時代です。命のある限りお答えしたい。

2021 年はドストエフスキイ生誕 200 年となる。生誕 200 年を経てなおも新しい読者を獲得することに少しでも役に立てば、これに勝る幸福はない。

著　者

ロシアにおける文学研究の諸流派

19 世紀のロシア文学研究に強いインパクトを与えた〈神話学派 Мифологи́ческая шко́ла〉はドイツのグリム兄弟のフォークロア研究の影響下に 1840 年代から 60 年代に成立する。言語作品や、絵画、音楽のなかに民衆の無意識の創作活動の表現を観察する姿勢はブスラーエフ Ф. Бусла́ев（1818－97）、やアファナーシエフ А. Афана́сьев（1826－71）の後も、世紀末のシンボリスト、ヴャチェスラフ・イワーノフ Вяч. И. Ива́нов（1866－1949）、20 世紀初頭の神話研究で知られるボゴラース В. Богора́з（筆名はタン Тан）をとおして、構造主義の先駆的役割を果たしたプロップ В. Пропп（1895－1970）『魔法昔話の形態学 Морфоло́гия волше́бной ска́зки』(1929)からローセフ А. Ло́сев、ヴャチェスラフ・イワーノフ Вяч. В. Ива́нов（1929－2017）やトポローフ В. Топоро́в（1928－2005）による 20 世紀のロシア神話学派へと継承される。(本書第 20 課は神話学派の成果による)。

いっぽう科学的実証主義を重んじる 1860 年代の精神風土の中、フランスのテーヌの影響下に〈文化史学派 Культу́рно-истори́ческая шко́ла〉が成立する。60 年代末にはテーヌのほとんどの著作は翻訳されていた。文学作品を周囲の精神の模写、知的状況の指標としてとらえ社会生活と民衆の心理の反映を見ようとするテーヌの方法は、誰よりもチホヌラーヴォフ Н. Тихонра́вов（1832－93）に受け継がれた。彼は次第に発展する民衆の意識を、飛躍や中断のない有機的なプロセスとしてとらえようとして、多くの作家の全集を刊行し、伝記的資料を収集、草稿を刊行し、古代文学文献を整理するなど、科学的、学問的な方法論を整備した。プイピン А. Пыпин（1833－1904）もまたこの派を代表する（本書第 1 課冒頭のペテルブルグの気候についてはさっそくこの学派の調査によっている。また、『罪と罰』草稿の研究は、この学派に負うところが多い）。

文化史学派の支配は 19 世紀後半から 20 世紀初頭まで続いた。しかし、19 世紀末にはその欠陥が明らかになっていた。まず文学あるいは芸術の美的側面を軽視していること、また作家あるいは作品は社会環境に規定されると考えるところから、反映原理による機械的あてはめが横行することになる。そこで言う「環境」とは、当初彼らが考えたのよりも複雑で微分化された要素の総合体であり、芸術家はそれらを創造的個人として、特有の構えのなかで受け取るはずである。

そう考えるところから〈心理学派 Психологи́ческая шко́ла〉が生まれた。その代表的存在であるポチェブニャーA. Потебня́（1835－91）はドイツの言語学者フンボルトの「言語は活動である」というテーゼから出発しており、言語は分節化された音という外的形式と、内的形式、表象あるいは意味の 3 つの要素からなり、同様に文学作品とは言語的実現という外的形式と、イメージないし形象の集合、そして内容あるいはイデエという 3 つの要素からなる、とする。このうち、ポチェブニャーの言語学的詩学の中心となるのは、内的形式、イメージである。こうした考え方は、20 世紀のフォルマリストたちの批判を受けることになるが、彼らの詩的思考と散文的思考の対置のもとになっている。

同じく文化史学派への批判から出発しているのが「歴史詩学 Истори́ческая поэ́тика」である。ロシアにおける理論的指導者であるヴェセロフスキイ А. Весело́вский（1838－1906）によれば、文学は独自の発展法則をもつのであり、文学研究の目指すものは、詩的言語、様式、文学的プロットの歴史を明らかにすることであり、詩的フォルムの交替に見られる法則やジャンル形式の論理を解明することである、という。これもまたフォルマリズムの基本となった考え方である。

19 世紀後半、世界各国間の交流が発展し、互いに似通った文学現象をいかに説明するか、各国間の差異はどこにあるのか、といった問題も浮上してきた。ヴェセロフスキイの視野は拡大し、独自の法則をもって発展する特殊な領域として文学史を研究する方向に向かう。こうしてヴェセロフスキイはまたロシアの〈比較文学派 Сравни́тельная шко́ла〉の創始者とも言われる（第 21 課のドストエフスキイとシラーの関係、また第 2 課の『罪と罰』と島崎藤村の『破戒』の影響関係、第 9 課の夏目漱石との関係などは、この学派の仕事となる）。

こうした土壌の上に、フォルマリズムを出発点とする 20 世紀のロシア文学研究が開花する（以上藤沼貴/水野忠夫/井桁貞義編著『はじめて学ぶロシア文学史』ミネルヴァ書房、2003 年、214 ページに加筆）。

「フォルマリズム Формали́зм」を代表する理論家にトマシェフスキイ Б. Томаше́вский（1890－1957）がいる。彼は代表的な論「テーマ論 Тема́тика」で散文作品の分析に〈筋 фа́була〉〈題材 сюже́т〉〈モチーフ моти́в〉〈動機付け мотивиро́вка〉などの現在も有効な概念を提出した（本書「『罪と罰』カレンダー」を参照）。シクロフスキイ В. Шкло́вский（1893－1984）の「手法としての芸術 Иску́сство как приём」において主張された芸術の機能としての〈異化 остроне́ние〉という考え方は、アヴァンギャルド芸術にのみ留まらず、今も芸術を考える上で重要である。

バフチン М. Бахти́н（1895－1975）は〈バフチン学 бахтиноло́гия〉という言葉を生むほどにその後の文学研究に大きな影響を与えた。彼についての研究誌が『対話。カーニバル。クロノトポス Диало́г. Карнава́л. Хлоното́п.』と名付けられているのも理解できる。本書で取り上げたほとんどすべての場面が「対話（ディアローグ）」によって成り立っている。本書第 18 課は「カーニバル」的騒ぎであり、本書第 1 課から「クロノトポス」としての「階段」をラスコーリニコフが降りて行く。「ポリフォニー小説」もバフチンが提出した重要な用語である。

ポリフォニーについて

【音楽】音楽の用語としての説明を『音楽中辞典』(音楽之友社、1979年)に求めよう。「〈多くの声〉を意味するギリシャ語〈ポリフォーニア〉に由来する言葉で、字義どおり＜多声音楽＞をさす。だが、ここでいう多声とは声部の数の多寡をいうのではなく、複数の声部が、それぞれの独立性を保持しつつ動向する様態を意味している。このような多声音楽の書法上の技法が＜対位法＞である」(下線は引用者)。この辞典によればポリフォニー概念として相対するホモフォニー様式が隆盛をみたのは、18世紀から19世紀の古典派・ロマン派の時代であり、いっぽう「ポリフォニーの黄金期は、ルネサンスと20世紀である」とされる。音楽史的にも、次に述べる文学史的にも、近代を超える位置にある。

【文学】バフチン・サークルにおいては、「ポリフォニー」は音楽用語の比喩的使用として小説を分析する方法である。複数の作中人物＝イデエがそれぞれの独立性を保持しつつ、さらにバフチンによって、小説においては、「作中人物たちとそれぞれの独立性をもって、対話的に対する」という要素が重要なファクターとして求められた。ここでは全体をまとめる描写の視点がない。
　ポリフォニー小説に相対しては「モノローグ小説」が対置される。作者は作中人物に対して「神の視点」から「不在の断定」を行う。

【ユング心理学から】
『ユング研究』5　1992年11月21日
対談　「ユング心理学と日本文学」佐古純一郎、林道義、福島宗男
(前略)
林　作品の中にも作者の自覚していないようなものがたくさん出ていて、おもしろい作品と、そういうものを作者が意識的に削って意識的に解釈をだっと入れて、緊密に構成してしまう作品とがあります。作者が意識していないけれど、いろんなものが込められていて、無茶苦茶で筋も何もないようなもの、矛盾しているようなものの方が、かえっておもしろい場合がありますよね。
佐古　ドストエフスキーが深いのはそこだと思います。ドストエフスキイは1881年に死んでいるんですから、フロイトの『ヒステリー研究』の出る前ですよね。だけども、ドッペルゲンガーをテーマに『二重人格』を書いています。

林　本当にドロドロしたものがいっぱいありますからね、どろどろしたものを、ちゃんと出してくれているから、おもしろいんじゃないでしょうか？
佐古　フロイト、ユング、アードラーなどの深層心理が出てくる前に、既に深層心理まで描いた人だと私は思いますね、ドストエフスキーは。トルストイは、いいのもあるけど、その点ちょっと浅いとおもうんです。意識的にやり過ぎているんじゃあないでしょうか。そんなに深層までいってませんね。
福島　ドストエフスキーは、自分の見た夢を夢判断していましたね。エリアーデによるとユングもドストエフスキーの夢を解釈しています。ミハイル・バフチンは、トルストイの小説と比較して、ドストエフスキーの小説の特色がポリフォニー（多声）性にあることを指摘していますが、それは、人間の意識だけでなく無意識を大切にする、ドストエフスキーの態度と関係しているのではないでしょうか。(後略)

【社会学から】

2018 年 12 月 5 日の「朝日新聞」の「古典百名山」というコラムで社会学者大澤真幸氏がミハイル・バフチンの「ドストエフスキーの詩学」を取り上げている。

「ここで「ポリフォニー」は、小説の中に含まれるあまたの意識や声がひとつに溶けあうことなく、それぞれれっきとした価値を持ち、各自の独自性を保っている状態である。普通の小説では、複数の個性や運命が単一の作者の意識の中に組み込まれ、その中で展開する。しかしドストエフスキーの小説には、すべての意識をまとめる作者の観点がない。作者の声を託された登場人物も、他の人物に対して優越しているわけでも、特権的な立場にあるわけでもない。

ポリフォニー性がはっきりと現れるのは、もちろん、論争のときである。だが逆の同意の場面さえも、ポリフォニーはある。自分が心の底で思っていたことを他人がはっきりと口にすると、私たちは驚いたり、反発を感じたりする。これが同意の中に潜むポリフォニーである。(中略)

ポリフォニーの世界をイメージしにくければこう考えるとよい。それは日本人の得意技「空気」のまったき反対物だ、と。空気は一枚岩で、常にその度に一つの声しかもたない」。

【鑑賞の手引き】大文字表記の裏にあるもの

私の手元には、

❶1867 年に、初めて単行本で刊行された『罪と罰』
❷30 巻本の科学アカデミー版ドストエフスキイ全集第 6 巻（1973 年）
❸「規範的テクスト」とされて 1995 年から出ている全集の第 7 巻『罪と罰』（2007 年）の 3 種類の『罪と罰』がある。これらはそれぞれに特色がある。

❶は『罪と罰』の『ロシア報知』誌の連載が終わったあと、すぐに誤植などを直して出版されたもので、作家自身が自らペンを取って書いたもの、また途中から未来の妻アンナ・グリゴーリエヴナの口述筆記をおこしたものだ。これは生前最後にドストエフスキイが目を通している。
❷はソビエト時代の、フリードレンデル氏の英雄的な戦いの末、当局による批判を受けながらも『悪霊』を含むことができた 30 巻全集の第 6 巻であるが、❶の復元には至らなかった。
❸Петрозаво́дский госуда́рственный университе́т の В. Н. Заха́ров 教授の指導のもと、ロシア革命以前のテクストが復元された。「規範的テクスト Канони́ческие те́ксты」と自認するゆえんだ。

❶と❷で宗教的な大きな相違がある。❶の時代（ロシア革命以前）は「神 Бог」「おお、神様！О, Го́споди！」「神のご意思 Бо́жий Про́мысл」という表記をしていたが、
❷ではそれは「神 бог」「おお、神様！О го́споди!」「神のご意思 бо́жий про́мысл」と、世俗化され、宗教性を剥奪されて、いわば「普通の単語」として目に飛び込んでくる。もう一つ例を挙げると第 16 課に次のような台詞がある。
❶では А тебе́ Бог что за это де́лает?（神はお前にそのかわり何をしてくれる？）
❷では А тебе́ бог что за это де́лает?
❸では А тебе́ Бог что за это де́лает?

並べて比較したのには訳がある。ペレストロイカ前後に、ソビエト・タイプの文化は否定され、革命以前のロシア文化に回帰しようという動きがあった。それが反映されているのである。ウラジーミル・ソロヴィヨーフ著作集（だったと思う）を手掛けたグループが、大文字表記をソ連当局の目を盗んで潜り込ませ、それが知識人たちの間で話題になっていた。そのグループの一人が、小声で私に教えてくれた。この「事件」を皮切りに、一斉に大文字表記が標準になっていった（第 17 課「ラザロの蘇り」でのキリストの台詞に

Ты посла́л Меня́ とあるが、読者は目を洗われる思いがするだろう）。

ロシアの読書界にとって、この転換は長年の夢であった。❶のテクストから受ける感覚は❷に比べてずっと宗教的なニュアンスが強い、という。ソビエト当局が神経をとがらせていた理由もそこにある。

今回、❶と❷を比べて実感したことがある。❷の版を出版する時期にあたって、あらゆるロシア語のテクストに紛れている「大文字」を「撲滅」することへのソ連時代の意思の強さと、❶のテクストの復活にも同様に大変な情熱が注がれているということについてのある種の感懐である。❷から❸へと復元するのも、大変な仕事だろう。

本書では、❶および❸を直接に参照することができたため、ドストエフスキイ自身が書いた台詞のとおりに表記している（革命以後の正書法では硬子音の後ろの ъ は除かれ、ѣ ヤッチ（е に統一）、і イー・ス・トーチコイ（и に統一）や ѳ シータも除かれたが、これは本書でも除かれている）。これによって、ドストエフスキイの文章のニュアンスを紹介することができた（マルメラードフの台詞には「聖書」からの引用が集中して出て来るため、あえて第 4 課を彼の言葉にあてている）。

事態はドストエフスキイにとどまらない。『はじめて学ぶロシア文学史』（ミネルヴァ書房、2003 年）は複数の著者に原稿をお願いして出来上がったものだが、執筆者のひとりである藤沼貴先生が最初に原稿を仕上げて下さったのは、1991 年のソ連崩壊以前だった。この文学史の特長の 1 つとして、代表的な作家、詩人の作品を原語で載せる、ということがあった。2003 年に全巻通して最後の校正をする時、デルジャーヴィンの詩で「神」という言葉が重要な役割を果たしているのに気がついた。「私は王、奴婢、虫、神！Я царь－я раб－я червь－я бог!」というところだが、藤沼先生に「「бог」の「б」を大文字に直していいですか？」と電話でお願いしたところ、「そうですね！」と明快なお答えだった。

文化の根幹のテクストの形が変わってしまう。ある若いロシアの友人は、「我々の国では、しっかりした文化の基盤がないから、積み上げていけない」と嘆いていた。もちろん彼は「大文字表記」だけを言っていたわけではないが、今後、このテクストが「規範」となることを願わずにはいられない。

『罪と罰』カレンダー　筋 фáбула

テレビの「刑事コロンボ」や江戸川乱歩作『心理試験』の原型となった『罪と罰』(詳しくは本書第 21 課を参照)。探偵小説の倒叙ものの味も持っている。ラスコーリニコフとソーニャはどうなってしまうのかを知ってしまうことになるこの部分は取扱い注意です！

小説の前史(物語が進む中で明らかにされる出来事を時系列に並べたもの)。この時系列の順番に並べ直された事件の継起順のことを「ファーブラ фáбула」という。これに対して「シュジェート сюжéт」とは芸術上のコンストラクションを言う（トマシェフスキイ「テーマ論」による、フォルマリズム的な定義)。

23 年前（1842 年）ロジオン・ラスコーリニコフが誕生。
　ほんの小さな頃、ロジオン、母の膝に抱かれて回らない舌でお祈りを捧げる。
16 年前（7 歳の頃）父母に連れられて教会の祈祷式に行った時のこと。干し葡萄で十字をかたどった蜜飯を持って行った。幼くして死んだ弟の小さな墓に敬虔な気持ちで十字を切った(「十字架」については第 22 課も参照)。その帰り道。ミコールカが痩せ馬を打ち殺してしまう。群衆から「おめえ、十字架持っていねえな」と言われる。
7 年前　スヴィドリガイロフ結婚する。
3 年前（1862 年）　ラスコーリニコフは田舎から首都に出て来て今の下宿に住み始める。
　下宿のおかみさんの娘と結婚の約束をする。
1 年前　この娘がチフスで亡くなる。
6 か月前　ラスコーリニコフ大学をやめる。新聞「定期論壇」に「犯罪について」を送る。このころから変調が始まった（医者で友人のゾシーモフの観察による)
4 か月前　ラスコーリニコフ下宿代の滞納が始まる。
2 か月前　ラスコーリニコフの論文が「週刊論壇」に掲載される。
数日前　母がラスコーリニコフに手紙を書く。(この手紙は小説の第 1 日に届くが、ラスコーリニコフが読むのは 2 日目）同じ日にスヴィドリガイロフが妻を殴り殺す。

第 1 部

5 日前（1865 年 7 月 1 日）　マルメラードフ、俸給をもらう（当時はロシア帝国では官庁の俸給は全国一律に毎月 1 日に与えられた。Захаров 版全集

2007、666ページ《なんと！》ページの注による)。マルメラードフが家を飛び出し、5晩ネヴァ川の乾草舟に泊る。「6日前に俸給をもらいました」

物語の第1日（7月7日）

7月の初めのとんでもなく暑い日の夕暮近く、ペテルブルグの下町の下宿から、一人の若者がなんだかためらいがちに階段を下りて行った【第1課】。彼は質屋の老婆の部屋の下見にでかけたのだ。「ラスコーリニコフですよ。質草を持ってきたのです。」

「本当にあれをやるのか？」ラスコーリニコフは帰り道で、酒場に降りていき、ビールを注文する。そこには酔っ払いの役人マルメラードフが、誰にも相手にされずに、ウォトカの瓶を前に一人で座っていた。酔っ払いは、ラスコーリニコフに近寄って来て身の上話を始める。周りの人たちが、また始めやがったと笑い声を上げるが、「なぁに、笑われたってかまわない。『この人を見よ』ですよ」（道化キリストのモチーフ）【第2課】。「一人娘のソーニャが娼婦になってしまった晩にも自分は酔っ払ってソファーに横になったまま、娘が出て行き、戻って来る一部始終を見ていた」【第3課】。「あの方はただ一人の裁き手だ」【第4課】。

ラスコーリニコフが酔いつぶれたマルメラードフを住まいに送ったのは11時近くだった。後妻で肺病を病んだカチェリーナに同じ酒飲み仲間と誤解され、罵倒される。

第2日（7月8日）

朝の9時過ぎ、ラスコーリニコフは母親からの手紙を受け取る。そこには妹のドゥーニャが家庭教師先のスヴィドリガイロフの誘惑を受け、やがてスヴィドリガイロフが罪をみとめたため、名誉は回復された。それに付け込んだのはルージンだった。ドゥーニャは兄の将来を思って、わが身を犠牲にしてルージンの結婚申し込みを受け入れた、と書かれていた。母と娘は首都へ出てくるという。「これじゃあ我々もソーネチカの運命を拒否できないじゃないか」【第5課】。

母の手紙はいっそうラスコーリニコフを追い詰めた。彼はラズミーヒンの住むワシリエフスキイ島でウォトカを飲んで、藪の陰に入って寝てしまう。この時、「打ち殺される馬」の悪夢を見る。午後9時ごろ、センナヤ広場を通りかかり「明日、7時きっかりにリザヴェータが家をあけ、老婆が一人だけでいる」と知る。

第3日（7月9日）「犯罪の日」とされる（Захаров版全集2007、666ページ)。

午後7時過ぎ、ラスコーリニコフはコートの下に斧を隠して、老婆の部屋に向かった。質草と偽って渡した包みの紐をほどくのに夢中になっている老婆の頭に斧を振り下ろす【第6課】。その時、隣の部屋で物音を聞いたラスコーリニコフは、そこに立ち尽くしていたリザヴェータにも斧を打ち下ろす【第7課】。

空き部屋のドアに隠れてやり過ごし、危ういところで外に逃れたラスコーリニコフは、自分の部屋に戻るとそのままソファに倒れ込んだ。

午後8時、ミコールカ盗品を持って酒場へ。

第2部

第4日（7月10日）

深夜2時過ぎ、ラスコーリニコフは目をさまして、悪寒に震えながら、証拠になるものを隠し、再び襲ってきた悪寒に、数時間、夢うつつで過ごす。

朝の 10 時に警察の呼び出しが告げられる。下宿の女主人からの借金未払いの訴えが出ているというものだった。自分に嫌疑がかかっている、と感じたラスコーリニコフは、街角の塀の陰の石の下に盗品を、中身を見ないまま隠す。ラズミーヒンに職探しの相談をした後、ネヴァ川にかかる橋に立ち止まる。そこから見える、壮麗なペテルブルグのパノラマから、いつも説明しがたい冷気が吹き付けて来る。口もきけなければ耳も聞こえない霊によって満たされていた【第8課】。

6時間歩いて、アパートに着いたのは夕方近くだった。

第5日（7月11日）酒場の亭主、ミコールカのことを警察に通報。ミコールカが連行される。

第6日（7月12日）

第7日（7月13日）

第8日（7月14日）

ラスコーリニコフはこの4日間というもの、下宿にいてほとんど飲まず食わず。お棺（母プリヘーリアが言い当てる）に横たわるラザロのよう。ソーニャはこのことを知らない。

ラズミーヒンが世話をやく。若い医者の卵のゾシーモフも見舞ってくれた。

第9日（7月15日）

午前10時にラスコーリニコフは正気に戻る。

6時間眠った。

夕方6時にラズミーヒンが様子を見に寄る。

ラズミーヒンの引っ越し祝いが、今晩ある、と告げる。

妹ドゥーニャの許婚のルージンが訪ねて来て、進歩についての説教をする。ラスコーリニコフはルージンを追い出す。「ぼくを一人にしてほしい」。彼が通りに出たのは、晩の8時ごろで、いつもの散歩のコースをたどるうちに、レストラン≪水晶宮≫に出た。「5日くらい前からの新聞」を取り寄せた。（老婆殺害のあくる日＝7月10日の新聞から数えてこの日が5日目となる。作家は何気ないところで緻密な計算をしていることに井桁が気づく。「ラスコーリニコフが4日間ほとんど飲まず食わずだった」というラズミーヒンの台詞とも符合する）。

捜査は何処まで進んでいるのか？ レストランを出たところでラズミーヒンと出会い、引っ越し祝いに招待される。

外に出ると、女性が身投げするのに出会う。通りに人びとが集まっていた。マルメラードフが馬車に轢かれたのだ。ラスコーリニコフは彼を住まいに運ばせる。妹ポーレチカから父の災いの知らせを受けてソーニャが戸口に姿を現す。「娘よ、許しておくれ」【第9課】。

マルメラードフの葬式のために、母から送られたなけなしの20ルーブルを与えて階段へと急いだ。後を追いかけてきたポーレチカが嬉しそうに言う。「姉さんに言いつかってきたのよ」「ポーレチカ、ぼくのこともお祈りしてくれるかい？」「ええ。一生、あなたのことをお祈りするわ」。

ラスコーリニコフはすっかり元気になって「俺にもまだ人生がある」と高揚感に包まれる。通りに出た時は10時を過ぎていた。ラズミーヒンの新しい下宿に向かった。

酔っぱらったラズミーヒンが出てきた。ラズミーヒンに送ってもらって、自分の下宿に近づくと、灯りがついている。警察かも知れない、とラスコーリニコフは覚悟するが、母と妹ドゥーニャがソファに腰かけて彼の帰りを待っていたのだ。3年ぶりの再会だった。

第3部

ラスコーリニコフは母と妹の顔を2分ほども見つめていた。その眼には狂気が宿っていた。妹ドゥーニャとルージンとの結婚には反対する。

ラズミーヒンはすっかりドゥーニャに魅せられる。

第10日（7月16日）

朝7時過ぎ、ラズミーヒンは起きて念入りに顔を洗った。9時に、ラズミーヒンは母プリヘーリアと妹ドゥーニャをホテルに訪ねた。プリヘーリアはルージンから昨日の日付で来た手紙をラズミーヒンに見せる。そこには、「明日の午後8時に伺う。だが、ラスコーリニコフは同席しないことを要求する」

と書かれていた。
ドゥーニャは、兄に今日の晩8時に来てもらいたいと頼んだ。
困り果てたプリヘーリアに、一番良いのは、今から兄さんのところへ行ってみることだ、とドゥーニャが言う。3人は外へ出た。
「元気です」と医者のゾシーモフが一同を迎える。ラスコーリニコフの青白い顔にも、母と妹が入って来た時には、一瞬、光が射した。彼は母に話しかけ、ドゥーニャに手を差し伸べた。「実は昨日、送ってもらったお金をそっくり馬車にひかれた人の奥さんにあげてしまったのです」。母は、スヴィドリガイロフが殴りつけたのが原因で奥さんが亡くなったと伝える。ドゥーニャも「あれは恐ろしい人だわ」と言う。
ラズミーヒンを指してドゥーニャに「気に入ったかい」とラスコーリニコフはからかう。「ぼくかルージンか、だ」「兄さんが間違っているわ。午後の8時に来てください。」ドゥーニャはラズミーヒンも招待する。
この時、静かにドアが開いて、一人の娘がおずおずと部屋に入って来た。みんなは驚いて好奇心をあらわに、彼女の方を見た。ラスコーリニコフも最初は誰だかわからなかった。ソーニャは明日の教会での葬式と、追善供養にラスコーリニコフを招待しに来たのだ。
ソーニャが去り、母と妹も去る。
ラスコーリニコフとラズミーヒンは、予審判事ポルフィーリイの家に向かう。遠い親戚だというラズミーヒンに案内を頼んだ。
老婆に預けた質草をまだ取りに来ていないのはラスコーリニコフだけだ、という。老婆殺しから犯罪論になった議論を、ポルフィーリイはラスコーリニコフが書いた論文に誘導した。当時ヨーロッパのマスコミを賑わしていたナポレオン三世の『ジュリアス・シーザー伝』をめぐって「人間は非凡人と凡人との2種類に分かれる」というテーマだった【第10課】。
部屋に戻ったラスコーリニコフをまるで地の底から湧いて出たような見知らぬ男が待っていた。「人殺し！」
眠りについたラスコーリニコフは、大きな丸い赤銅色の月に照らされて、笑う老婆の夢を見る【第11課】【第12課】。

第4部

悪夢から目覚めると、スヴィドリガイロフが立っていた。彼はドゥーニャをあきらめ切れずに、ラスコーリニコフに仲を取り持ってほしいと言う。スヴィドリガイロフは突然に、「永遠とは」と尋ねる。「なにかこう田舎の風呂場みたいなものがあって、四隅は蜘蛛の巣がかかっている。永遠というもののいっさいがこんなものだったら、どうです？」【第 13 課】（ここにも数字

「四」が隠れている)。

スヴィドリガイロフは亡くなった妻の遺言で、3000（30×100）ルーブリがドゥーニャに贈られると伝えて出て行く。

スヴィドリガイロフはソーニャの部屋を出るところでラズミーヒンに出くわす。

8 時近く。ラスコーリニコフはラズミーヒンと連れ立って母と妹が泊っている部屋に入った。廊下でルージンとばったり会った。

ルージンは、スヴィドリガイロフがペテルブルグに来るという知らせを伝えた。

ルージンを追放した後で、ラズミーヒンとドゥーニャ、マルファが出版の夢を語り合っている。「出版の見通しは立っています」とラズミーヒン【第 14 課】。ラスコーリニコフは席を立って、ソーニャの部屋を訪れる。晩の 11 時を過ぎていた。突然彼は全身をかがめると、床に突っ伏して、彼女の足にキスした。「ぼくは人類のすべての苦しみの前に膝まづいたんだ」「わたしは、大きな罪のある女です」【第 15 課】。

「もしも神様がいなかったらわたしはどうなっていたでしょう？」

「で、神とやらはその代わりきみに何をしてくれる？」【第 16 課】。

ラスコーリニコフは箪笥の上の聖書を取って、「ラザロの復活」を朗読してくれ、と言う。リザヴェータが持ってきた聖書である。ソーニャは「4 日目」という言葉を強調した。ラスコーリニコフはそれをどう聞いたかは、読者の想像に委ねられている【第 17 課】。

「もしも明日、ぼくが来たら、リザヴェータ殺しの犯人を教えよう」

ソーニャはひと晩中、熱にうなされていた。

第 11 日（7 月 17 日)

ソーニャのもとを訪ねた翌朝 11 時に、ラスコーリニコフは警察署にポルフィーリイを訪ねる。対決の最後の瞬間に、ラスコーリニコフの自白を導くために隠しておいた「地の底から湧いて出たような男」の代わりに、ペンキ屋のミコールカが嘘の自白をして、ポルフィーリイの目論見は失敗する。

第 5 部

晩にマルメラードフの追善供養が行われる。無秩序なカーニバル的空間の出現【第 18 課】。

ルージンはこの機会にソーニャを陥れて、間接的にラスコーリニコフを攻撃しようと企む。だがレベジャートニコフの告発によって、失敗に終わる。ラスコーリニコフは、ソーニャの部屋に行き、「よく見てごらん」と沈黙の告白を行う【第 19 課】。
「どうしたらいい？」との問いに、ソーニャは「立ちなさい！」と言って「すぐに行って、十字路に立って、深く頭を下げて、あなたの汚した大地に接吻し、それから全世界に、四方に向かって声に出してこう言うの、『わたしが殺しました』って。そうしたら神様はあなたに生きる力をくださるわ」【第 20 課】（地上の人間の世界は「四」から成り立っている）。

第 6 部

第 13 日（7 月 18 日）
ポルフィーリイがラスコーリニコフを訪ねて来る。「殺したのはあなたです。」というポルフィーリイは「太陽におなりなさい」とラスコーリニコフに忠告する。
「あなたは一体何者なんです」というラスコーリニコフの問に「わたしはすっかりピリオドを打たれてしまった人間です」と答える【第 21 課】。
ポルフィーリイとの対決の後、自首のための時間の猶予をもらったラスコーリニコフは居酒屋でスヴィドリガイロフと会う。スヴィドリガイロフは、ソーニャの隣室にいて、ソーニャとラスコーリニコフの会話を盗み聞きした。それを材料にドゥーニャを呼び出していた。「愛はないの？　そしていつになっても？」スヴィドリガイロフの問いにドゥーニャは答える。「ええ、いつになっても」【第 22 課】。
その晩、絶望したスヴィドリガイロフは夜の 10 時ごろまで街をうろついていた。10 時を過ぎたころにソーニャの部屋で養育費として 3000 ルーブルを渡した。11 時には婚約者のもとを訪れ、ちょうど夜中の 12 時にはネヴァ川をわたっていた。ホテルに入ると 14 歳で身投げして死んだ少女の夢を見た。5 歳の女の子が挑発的な笑いを浮かべている悪夢だ。
ラスコーリニコフもまた、この嵐の日、ネヴァ川河畔をさまよっていた。

第 14 日（7 月 19 日）
朝の 5 時になっていた。街に出たスヴィドリガイロフはピストルをこめかみにあてた。
夕方になって、ラスコーリニコフは母と妹に別れを告げ、ソーニャに約束した通り、十字架をかけてもらった。「これはつまり十字架を負うことを表わす象徴なんだね。へ、へ。そのとおり、僕には今まで苦しみが足りない」。【第 23 課】。
ソーニャの言葉に従って、センナーヤ広場に行き、大地に接吻するが、「わたしが殺しました」という言葉を言うことができなかった。ソーニャに《生きる力》のありかを教えられ、ポルフィーリイに《生きる意味》を指し示されてもラスコーリニコフの《自我の殻》は容易に破れない。プライドが邪魔するのだ。

（物語はエピローグを除いて 14 日間のことだ。江川卓氏の『謎とき「罪と罰」』では 13 日になっている。それに合わせて、この本は 13 章から構成される。亀山郁夫氏の『「罪と罰」研究ノート』もこれに追随する。ロシアで出された最新の Захаров 版全集 2007 年では私の計算と同じく 14 日とされている。666 ページを参照）。

エピローグ

裁判でラスコーリニコフは懲役 8 年の刑を言い渡された。刑期が明けるのは 1874 年。

囚人たちはソーニャを母のように慕ったが、ラスコーリニコフはみんなから嫌われていた。彼に後悔は訪れなかった。重病にかかり、病院で夢を見た。アジアの奥地から全世界に広がった繊毛虫による疫病によって、人々は悪意にかられて互いに殺し合い、滅んで行った。わずかな選ばれた人たちだけが生き残る、というものだった【第 24 課】。しかし誰もこの人々を見たことはない。この悪夢の印象は長い間消えなかった。

犯行のあと、1 年半が経っていた。1867 年春の復活祭が過ぎて 2 週目。どうしてそんなことが起こったか、ラスコーリニコフ自身も分からなかったけれど、突然に、何かが彼をつかんで、ソーニャの足元に投げつけたようだった。彼は泣いて、彼女の膝を抱きしめた。

彼らは話したかったが、できなかった。彼らの目には涙があふれていた。二人とも蒼白く、痩せていた。しかしこの病んだ、蒼白い顔には、更新された未来、新しい生活への完全な復活の曙光がすでに輝いていた。愛が彼らを復活させ、一方の心は他方の心のための尽きることのない生の泉となった【第 25 課】。

◆фáбула と сюжéт という概念はこのように小説の分析に有効だ。ボリス・トマシェフスキイが書いた「テーマ論」（新谷敬三郎、磯谷孝編訳『ロシア・フォルマリズム論集』現代思潮社、1971 年）に収められている。この「テーマ論」では「ラスコーリニコフは老婆を殺した」のような最小単位を「モチーフ」と呼んでいる。本書の「モチーフ」はこの最小単位を取り出している。

【日本では】で取り上げた作家

◆本書で指摘する【日本では】を年代順に並べたリスト
（ ）内に場所を示す（巻末の「ロシア史ノート」も併せてご覧ください）。

★1868～　明治
1886　二葉亭四迷、『小説総論』
1888　英訳『罪と罰』ヴィショウ Fredrik Whishaw 訳（第 8 課）
1892　内田魯庵『罪と罰』（前半のみの訳）(第 8 課)
1893　北村透谷「『罪と罰』」
1906　島崎藤村『破戒』（第 2 課）

★1912～　大正
1914　英訳『罪と罰』ガーネット Constance Garnett 訳（第 8 課）
1916　夏目漱石『明暗』（第 9 課）

★1926～　昭和
1935　萩原朔太郎「初めてドストイェフスキイを読んだ頃」（第 11 課）
1945　埴谷雄高『死霊』開始（第 1 課）
1946　石川淳『焼け跡のイエス』（第 4 課）
1947　武田泰淳『蝮のするゑ』（第 20 課）
1948　太宰治『人間失格』（第 3 課）
1948　坂口安吾『不良少年とキリスト』（第 4 課）
1948　大岡昇平『野火』（第 7 課）
1951　黒澤明『白痴』（第 16、23 課）
1958　埴谷雄高「存在と非在とのっぺらぼう」（第 13 課）
1960　遠藤周作『聖書のなかの女性たち』（第 4 課）
1964　遠藤周作『わたしが・棄てた・女』（第 19 課）
1970　永山則夫『無知の涙』（第 6 課）
1971　武田泰淳『富士』（第 18 課）
1975　手塚治虫「わたしのコロンボ」（第 21 課）
1982　村上春樹『羊をめぐる冒険』（第 10 課）
1986　島田雅彦「自殺しないスタヴローギンやスヴィドリガイロフを」（第 22 課）
1986　三田誠広「基本的に自分の仕事はドストエーフスキイの延長線上にあると考えています。」（第 22 課）

★1989～　平成
1989　Mark Davidzik. The Columbo File『コロンボ・ファイル』（第 21 課）
1993　遠藤周作『深い河』（第 2 課）
1993　高村薫『マークスの山』（第 25 課）
1999　村上春樹『かえるくん、東京を救う』（第 15 課）
2003　村上春樹『少年カフカ』（第 5 課）
2004　伊坂幸太郎『グラスホッパー』（第 20 課）
2005　鹿島田真希『6000 度の愛』（第 17 課）
2014　山元伸哲「ドストエフスキーと日本マンガ」（第 12 課）
2018　高柳聡子『ロシアの女性誌　時代を映す女たち』（第 14 課）

第 1 課　冒頭を解読する

В нача́ле ию́ля, в чрезвыча́йно жа́ркое вре́мя, под ве́чер, оди́н молодо́й челове́к вы́шел из свое́й камо́рки, кото́рую нанима́л от жильцо́в в С-м переу́лке, на у́лицу и ме́дленно, как бы в нереши́мости, отпра́вился к К-ну мосту́.

Он благополу́чно избе́гнул встре́чи с свое́ю хозя́йкой на ле́стнице. Камо́рка его́ приходи́лась под са́мою кро́влей высо́кого пятиэта́жного до́ма и походи́ла бо́лее на шкаф, чем на кварти́ру. Кварти́рная же хозя́йка его́, у кото́рой он нанима́л э́ту камо́рку с обе́дом и прислу́гой, помеща́лась одно́ю ле́стницей ни́же, в отде́льной кварти́ре, и ка́ждый раз, при вы́ходе на у́лицу, ему́ непреме́нно на́до бы́ло проходи́ть ми́мо хозя́йкиной ку́хни, почти́ всегда́ на́стежь отво́ренной на ле́стницу. И ка́ждый раз молодо́й челове́к, проходя́ ми́мо, чу́вствовал како́е-то боле́зненное и трусли́вое ощуще́ние, кото́рого стыди́лся и от кото́рого мо́рщился. Он был до́лжен кругóм хозя́йке и боя́лся с не́ю встре́титься. (第 1 部第 1 章)

【単語】

в нача́ле ию́ля 7 月の初めの（в+前置格で、年月・時期を表す → 例 в полови́не пя́того 4 時半に） в жа́ркое вре́мя 暑い時間に（в+対格で、時期を表す → 例 и в дождь и в снег 雨が降っても雪が降っても）чрезвыча́йно 極度に、特別に(чрезвыча́йный＝о́чень большо́й からの副詞)【鑑賞の手引き】参照 вы́шел → 男性過去形 вы́йти《完了体》（以下《完》と表記）外へ出る камо́рка 小さな部屋《口語》（＝ма́ленькая ко́мната）кото́рую 関係代名詞、先行詞は女性名詞 камо́рка【鑑賞の手引き】参照 С–м переу́лок エス通り【鑑賞の手引き】参照 от жильцо́в → жиле́ц の複数生格（慣用） как бы まるで в нереши́мости 不決断の様子で【鑑賞の手引き】к К–ну мосту́ カー橋のほうへ【鑑賞の手引き】参照 благополу́чно 無事に、首尾よく избе́гнуть +生格《完》するのを避ける（《不完了体》(以下《不完》と表記) は избега́ть）（用例～逃れる）свое́ю＝свое́й приходи́ться 合う、当たる са́мою＝са́мой（са́мая の造格）ちょうど、すぐ кро́вля 屋根 походи́ть +на ～に似ている шкаф 棚 бо́лее, чем ～よりももっと当たる

モチーフ「一人の若者が下宿から通りに出て行った」

7 月初めの、とんでもなく暑い日の夕暮れ近く、一人の若者が、エス通りの住人から借りている小部屋から、通りに出て、なんだかためらうような様子で、カー橋のほうに向かった。

彼は階段で、間借りしている部屋の主婦にうまく出会わないで済んだ。彼の小部屋は、背の高い 5 階建ての建物の屋根の真下にあって、住居というよりも棚に似ていた。彼が食事とサービス付きで借りている部屋の持ち主は階段をへだてて 1 階下に住まいを構えていたが、通りに出る時にはどうしてもこの主婦の台所の脇を通らなければならなければならない。若い男は、脇を通る時、或る種の病的な、臆病な感覚を感じていて、この感覚が恥ずかしくて、そのためにしかめ面になる。主婦に金を借りていて、そのせいで顔を合わせるが怖いのだ。

◆1907 年に作家の未亡人のアンナ・グリゴーリエヴナ・ドストエフスカヤが、作品集の余白に、省略されている地名を補っている。それによると

○ в С-м переýлке は Столя́рный переýлок

この地名は、ロシア文学では御馴染のものだ。ゴーゴリの『狂人日記』(1835) で人語を話す犬がこの通りを歩き10 年後にはレールモントフの『シュトス』に現れる。

○ к К-ну は、Кóкушкин мост（アクセントの位置に注意。私は実際に住人に直接に聞いて確かめた。）

◆知り合いの петербýржец は、頭文字を見ただけで、地名が分かるという。よく知っている生活の場所が舞台になっていると、独特の不思議なリアリティを感じるという。

◆朗読の場合「地名を補って読む方法」と「地名を省略したまま読む方法」がある。

в С-м переýлке → в Столя́рном переýлке

к К-ну мостý → к Кóкушкину мостý

次のサイトは地名を補って読んでいる。

https://knigavuhe.org/book/prestuplenie-i-nakazanie-2/

【単語】

прислýга お手伝い、サービス ни́же → ни́зкий「低い」の比較級 однóю лéстницей → однá лéстница の造格 при に際して、～の時 ми́мо の後ろは生格 хозя́йкиной → 女性名詞 хозя́йка 語尾-ин を付けて物主形容詞となる。長語尾形容詞変化する。нáстежь 開け放して отвóренной（また отворённый でも可）→ отвори́ть《完》開ける、開け放す（《不完》は отворя́ть）проходя́ → проходи́ть「通る」の副動詞 кругóм ぐるっと円を描いて

【鑑賞の手引き】

♠どのくらい暑いのか

舞台とされる 1865 年の夏は、日向で 40 度に達した。炎暑とフォンタンカ運河からの悪臭はたえられないほどだと当時の新聞（1865 年 7 月 18 日付け「声」紙）は伝えている。

♠なぜ「エス通り」なのか？

С—переу́лок というのは、Столя́рный переу́лок。переу́лок　に実際行ってみると、かなり幅の広い道路で、「横丁」という日本語から想像されるものとは違う。一時期は Улица Пржева́льского と改名されていた。переу́лок と у́лица の区別は厳密なものではない。

♠「小部屋 камо́рка」はここでは「棚 шкаф」に似ているとされている。この「小部屋」はやがて母が訪れると「お棺 гроб」のようだ、といわれ、ラズミーヒンは「船室 каю́та」と感じる。

♠カー橋のほうへ向かうのがなぜ「不決断」なのか

ラスコーリニコフはここで金貸し老婆の家へむかうのだが、研究者の指摘によると、コークシキン橋へ向かうのは、方向が逆である、という。

♠階段

30 巻本全集のわずか 15 行の中に、「ле́стница」という言葉が 3 回も繰り返される。研究者によれば、『罪と罰』のなかではラスコーリニコフは 48 回も階段を昇り降りしている。このことについてはたとえば二十世紀ロシアの批評家ミハイル・バフチンの 1930 年代の著作『小説における時間と時空間の諸形式』（北岡誠司訳『ミハイル・バフチン全著作　第 5 巻』水声社、2001 年に所収）という論考が参考になる。

ここでバフチンは、「文学が芸術化してみずからのものとしてきた時間的関係と空間的関係との本質的な相互関連を」「クロノトポス（時空間）хроното́п」（同書 143 ページ）と呼ぶと書いている。

「文学における時空間の場合、空間的特徴と時間的特徴とは、意味を付与された具体的な全体のなかで融合する。時間は、凝縮されて密になり、芸術化され可視的になる。空間も、集約されて、時間・話の筋・歴史の展開のなかに引き込まれる。時間的特徴が、空間のなかでみずからを開示し、空間は時間によって意味づけられ計測される。文学における時空間を特徴づけるのは、両種の系列のこうした交差、双方の特徴のこうした融合である」（同書 144 ページ）。

ここからバフチンはギリシア小説やローマの自伝、騎士道小説、ラブレーの時空間などを分析していくのだが、近代の小説としてはスタンダールやバルザックの小説のうちに＜客間・サロン＞を見、フローベールでは＜田舎町＞を挙げる。さらにバフチンは情動的価値の極度な緊迫感につらぬかれた時空間として＜敷居＞を挙げている。敷居は危機と生の転換の時空間である（同書 395 ページ）。

「たとえばドストエフスキーの場合、敷居とそれに近接した階段・玄関・廊下の時空間、さらにまたそれらを延長した街路と広場の時空間は、その作品の主要な活動の場である。一人の人間の全生涯を決定する、危機・転落・復活・再生・洞察・決断といった出来事が生起する場所である。この時空間における時間は、本質的に、あたかも長さをもたず、伝記的時間の通常の流れから脱落したかのような、瞬間である」（同書 396 ページ）。

♠「ラスコーリニコフの部屋」は現在も残されており、訪れると、確かに5階建ての大きなアパートで、暗い階段を昇って行くと、屋根裏部屋に着く。ドストエフスキイ博物館の方によると、「ラスコーリニコフの家」と想定された屋根裏部屋を残そうと、役所に掛け合ったが、許可は出ず、現在は部屋としての機能は果たしておらず、本当に屋根裏の狭い空間になっている。日本からのツアーでドストエフスキイ・ファンたちと訪れたが、その天井の低い空間に身を置いて、「たしかに空気が足りないわね」とリアルな感覚を味わった。アパートは現在も人々が住んでいて、アパートとして、使われている。

それとは別に、ドストエフスキイ博物館のロシア人向けの見学会で、狭い階段をぞろぞろと昇って行くと、上から降りて来た中年の男性が「なんだってこう入れ替わり立ち代わり、やってきやがるんだ」と悪態をつき、後姿を見送ると、尻のポケットから、酒の瓶がのぞいていて、一行は、「ほら、現代のマルメラードフだ」と苦笑していた。階段から屋根裏に昇る壁には、落書きがびっしりと書かれていて、今でも読むことができる。たとえば「なぜここによく来るのか、自分でも分からない。知っているのはただ、私の魂がドストエフスキイとともに生き始め、生き続けるだろうということだ」という熱烈なものや、「殺すべき金貸しばあさんはいっぱい残っている。みんなの分まで足りるよ」といった、時代を反映するユーモアも印象的だった（「産経新聞」1997年10月11日夕刊、「読売新聞」1997年12月4日夕刊を参照）。

♠金貸し婆さんの家のモデルとされているアパートは、2つの出入り口があり、1つはエカチェリーナ運河に面している。犯罪者の好むのは見つかって逃げる時の用心に、2つの出入り口のあるアパートをねらうものだ、と「『罪と罰』コメンタリー《Преступлéние и наказáние》Комментáрий」の著者 С.В.Белóв 氏は説明してくれた。「ラスコーリニコフの家」から「ばあさんの家」まで730歩とされている。実際に歩いて見ると、運河のどちら側を通るかで多少の違いが出てくるが、1000 歩以上かかる。コンパスの違いかとやや気落ちしていた。日本のグループを案内した時も「730歩では半分もいかないわ」と大笑いになった。ロシアの研究者も、歩いてみた人がいて、「730歩」では届かない。この「730」には神話的数字ではないか、との意見もある。

【日本では】

♥小説の冒頭

「近代文学」の昭和21年1月の創刊号から埴谷雄高（1909－1997）の『死霊』の連載が始まる。読者は「ああ、ドストエフスキイ」と感じた。

「最近の記録には嘗て存在しなかったと言われるほどの激しい、不気味な暑気がつづき、そのため、自然的にも社会的にも不吉な事件が相次いで起った或る夏も終りの或る曇った、蒸暑い日の午前、××風癲病院の古風な正門を、一人の痩せぎすな長身の青年が通り過ぎた」(74ページ)。『罪と罰』の冒頭では、同じく「異常に暑い夏」の夕暮れ近くに一人の青年が下宿を出て通りへと出かける。『死霊』では、「夕暮れ近く」→「午前」、「下宿」→「病院の古風な門」、「通りへ出る」→「病院へ入る」と鏡の両面のように変奏されている。

第 2 課　酒場で（1）

— Для чегó же ходи́ть? — прибáвил Раскóльников.

— А кóли нé к кому, кóли идти́ бóльше нéкуда! Ведь нáдобно же, чтóбы вся́кому человéку хоть кудá-нибудь мóжно—бы́ло пойти́. И́бо бывáет такóе врéмя, когдá непремéнно нáдо хоть кудá-нибудь да пойти́! Когдá единорóдная дочь моя́ в пéрвый раз по жёлтому билéту пошлá, и я тóже тогдá пошёл... (и́бо дочь моя́ по жёлтому билéту живёт-с...) — прибáвил он в скóбках, с нéкоторым беспокóйством смотря́ на молодóго человéка. — Ничегó, ми́лостивый государь, ничегó! — поспеши́л он тóтчас же, и по-ви́димому спокóйно, заяви́ть, когдá фы́ркнули óба мальчи́шки за стóйкой и улыбну́лся сам хозя́ин. — Ничегó-с! Сим покивáнием глав не смущáюсь, и́бо ужé всем всё извéстно и всё тáйное станóвится я́вным; и не с презрéнием, а со смирéнием к сему́ отношу́сь. Пусть! пусть! "Се человéк!" Позвóльте, молодóй человéк: мóжете ли вы... Но нет, изъясни́ть сильнéе и изобрази́тельнее: не *мóжете* ли вы, а *осмéлитесь* ли вы, взирáя в сей час на меня́, сказáть утверди́тельно, что я не свинья́?

(第 1 部第 2 章)

【単語】

кóли = éсли「もしも」の古い形、また俗語の響きがある　нé к кому 訪ねて行くべき相手がいない　ведь だって〜じゃあありませんか（自分の主張に同意を求める）　нáдобно = нáдо, ну́жно「必要だ」の旧い形、また俗語の響きもある　же 強勢の助詞で直前の語を強調する（例 Что же нам дéлать? 我々はそもそも何をすべきなのか？）　чтóбы[штóбы] хоть = по крáйней мéре せめて　и́бо なぜかならば〜だからだ（文語的、また旧い形）（論理的理由を明らかにするために用いるので別文を起こすことが少なくない。聖書に頻出する）　единорóдный（文語的）一人っ子の　по жёлтому билéту пошлá → по〜 〜にもとづいて、準拠　жёлтый билéт 黄色い鑑札（売春婦は警察で黄色い証明書を受け取った）　смотря́ → смотрéть「見る」の副動詞「見ながら」　ничегó 平気です、どうってことはありません　ми́лостивый госудáрь 貴下（手紙や改まった言い方、旧い響きがある）

モチーフ《この人を見よ》

「いったい、なんのために行くんです？」ラスコーリニコフが付け足した。

「もしも訪ねて行くべき相手がいないとしたら、これ以上、もうどこにも行くあてがないとしたら！　だって、どんな人間にだって、どこでもいいからどこか行くことが出来る場所が必要でしょう。なぜかと言えば、どこでも構わない、どうしても出かけなくちゃならない時があるものです！　わたしの一人っ子の娘が初めて黄色い鑑札を持って出かけた時も、わたしは出かけました…（なぜかならば、わたしの娘は黄色い鑑札で暮らしているんです）」

男はついでのように、何やら不安にかられて若者を見ながら言い足した。

「なに、どうってことはありませんよ、ぜんぜん！」カウンターの向こうの二人に男の子がくすくすと笑い、店の主人まで、にやりとしたが、彼は一見平静を装って断言した。「かまうもんですか！　ああして、頭を振ったりしても、平気でございますよ。なぜかとなれば、みんなにすべては知れわたっていて、すべての秘密は明らかになる、のだから。軽蔑ではなく、謙虚に構えておるのです。放っておきなされ！《この人を見よ》です！お若いの。失礼ながらあなたはお出来になりますかな、いや、もっと強い、はっきりした言い方をすると、**できる**、じゃない、わたしを目の前にしたこの瞬間に**断言できます**かな、わたしは豚じゃないって？」

【単語】

то́тчас же　すぐさま　по-ви́димому = ви́димо　一見したところ　заяви́ть　言明する　фы́ркнуть = смея́ться,производя́ отры́вистые зву́ки но́сом, губа́ми　鼻、唇を鳴らして笑う　за сто́йкой　（酒場などの）カウンター　-с　旧い言い方で、卑下してまたは丁寧に言う時に任意の語につける　сим → сей　この（文語的、旧い言い方、また皮肉をこめて）　покива́нием глав не смуща́юсь, и́бо уже́ всем всё изве́стно и всё та́йное стано́вится я́вным　【鑑賞の手引き】参照　Пусть! пусть! させておけ　"Се челове́к!"　се　ここにあり、見よ（вот）【鑑賞の手引き】参照　позво́льте → позво́лить「許す」の命令形「させてください」　изъясни́ть　述べる　сильне́е → си́льно　「強く」の比較級　изобрази́тельнее　より描写的に　осме́литесь → осме́литься　あえて勇気を出してする　взира́ть = смотре́ть

【鑑賞の手引き】

♠нé к кому идтú

否定代名詞には 2 種類ある。никтó ничегó などは否定の言葉 не、нет、нельзя などとともに。нéкто「～すべき人はない」 нéчего「～すべきものはない」などは無人称述語として不定形とともに用い、「べき」の意味を表す。

これらは、前置詞とともに使う時は、ни-または не-の要素とあとに続く要素の間が分離して、その間に前置詞が入る。

не говорúть ни с кéм 「誰とも話さない」

нé к кому идтú「訪ねて行くべき人はいない」「だれのところへも行くあてがない」

♠マルメラードフ一家の社会構造を明らかにしておこう。

もと居たところ＝человéческая компáния から脱落する

Катерúна Ивáновна の出自

в благорóдном губéрнском дворя́нском институ́те воспúтывалась

マルメラードフの現在のいるところ＝в пью́щей компáнии（酒飲みの社会）

マルメラードフは、ここでも嘲笑をうけている→もはや行く（べき）ところがない

ソーニャが現在住んでるところ

仕立て屋 Капернау́мов（カファナウム＝キリスト伝道の地）のもと

♠всё тáйное станóвится я́вным

マルコによる福音書第 4 章 22 節

(口語訳)「なんでも、隠されているもので、現れないものはなく、秘密にされているもので、明るみに出ないものはない」。ロシア語聖書もみておこう。

Нет ничегó тáйного, что не сдéлалось бы я́вным; и ничегó не бывáет потаённого, что не вы́шло бы нару́жу.

♠"Се человéк!" 「この人を見よ！」

「ヨハネによる福音書」第 19 章(口語訳)「兵卒たちはイエスを捕らえると、いばらで冠をあんで、イエスの頭にかぶらせ、紫の上着を着せ」（第 2 節）、「イエスはいばらの冠をかぶり、紫の上着を着たままで外へ出られると、ピラトは彼らに言った、「見よ、この人だ」。祭司長たちや下役どもはイエスを見ると、叫んで「十字架につけよ、十字架につけよ」と言った。ピラトは彼らに言った、「あなたがたが、この人を引き取って十字架につけるがよい。わたしは、彼にはなんの罪も見いだせない」。

酒場の主人が「道化者」と呼び、男の子も嘲笑を浴びせる。「こんなわしを、磔にするがいい」マルメラードフはここで自分をキリストに見立てている。それは甘い。

なお、青年時代に牧師植村正久の弟子であった内田魯庵は、この台詞が「ヨハネによる福音書」からとられていることを知っていて「此人を見ろ!」ときちんと訳している（木村毅『明治翻訳文學全集』406 ページ）。

♠聖書の引用という手法

聖書の言葉を小説の中で引用する手法は、日本のキリスト教作家にも見ることができる。たとえば遠藤周作（1923－1996）の代表作の一つ『深い河』

（1993 年）では主人公美津子は「欠伸をしながら自分の祈祷台に置かれた大きな聖書の一頁を拾い読みする。

　　彼は醜く、威厳もない。みじめで、みすぼらしい
　　人は彼を蔑み、見捨てた
　　忌み嫌われる者のように、彼は手で顔を覆って人々に侮られる
　　まことに彼は我々の病を負い
　　我々の悲しみを担った

美津子は口に手をあて、また欠伸をした」（『深い河』第 3 章）。

これはイザヤ書 53 章の引用で、主人公大津の生涯を暗示している。『深い河』の第 13 章では「大津は羊のような苦痛の声をあげた」とされるが、これも、同じ 13 章の「ほり場へひかれて行く小羊のように」からの引用だ。

このように聖書は洋の東西を問わず、「キリスト教作家」の想像力の源泉になってきた。「キリスト教作家」ではない場合、日本の作家たちがいわゆる GREAT CODE として読者と共有できる象徴は、なんだろう？ 仏典だろうか？

【日本では】

『破戒』

島崎藤村（1872－1943）が『破戒』を自費出版したのは、1906（明治 39）年のことだった。藤村は『罪と罰』の英訳本を田山花袋から長く借りていた。文芸評論家の木村毅は「それより私は、この英訳『罪と罰』を半ばも読み進まぬうちに、重大な発見をした。かつて愛読した藤村の『破戒』は、この作の換骨脱胎というよりも、むしろ結構は『罪と罰』の敷き写しと云っていいほど、酷似している」と書いている（木村毅「日本翻訳史概観」『明治翻訳文学集』、高橋誠一郎「『罪と罰』から『破戒へ―北村透谷を介して』」「ドストエーフスキイ広場」№27、2018 による）。確かに『破戒』は「結構」の面からも『罪と罰』を受けている。またたとえば、飲酒が原因で退職する敬之進の次のような言葉は、マルメラードフの台詞を思わせる（高橋誠一郎『「罪と罰」の受容と「立憲主義」の危機』成文社、2019 年、128 ページを参照）。

「ああ。吾輩の生涯などは実に碌々たるものだ」と敬之進は更に嘆息した。「しかし瀬川君、考えて見てくれたまえ。君は碌々と言う言葉の内に、どれほどの酸苦が入っていると考える。こうして吾輩は飲むから貧乏する、と言う人もあるけど、吾輩に言わせると、貧乏するから飲むんだ。一日たりとも飲まずには居られない。まあ、吾輩も、初の内は苦しみを忘れる為に飲んだのさ。今はそうじゃ無い。かえって苦痛を感ずる為に飲む。はははははは」。（拙稿「『レ・ミゼラブル』『罪と罰』『破戒』」（『ドストエフスキイ　言葉の生命』を参照）。

逆に藤村の『破戒』はソ連でフェリドマンによって訳されている。これについては野崎韶夫先生の「ソ聯将校の批判した「吊し上げ」最近ソ聯報告」で触れられている（「文藝春秋」1949 年 12 月号）。ソ連の人々は露訳された『破戒』を読んで『罪と罰』を思い出しただろうか？

第 3 課　酒場で（2）

И ви́жу я, э́дак часу́ в шесто́м, Со́нечка вста́ла, наде́ла плато́чек, наде́ла бурну́сик и с кварти́ры отпра́вилась, а в девя́том часу́ и наза́д обра́тно пришла́. Пришла́, и пря́мо к Катери́не Ива́новне, и на стол пе́ред ней три́дцать целко́вых мо́лча вы́ложила. Ни слове́чка при э́том не вы́молвила, хоть бы взгляну́ла, а взяла́ то́лько наш большо́й драдеда́мовый зелёный плато́к (о́бщий тако́й у нас плато́к есть, драдеда́мовый), накры́ла им совсе́м го́лову и лицо́ и легла́ на крова́ть, лицо́м к сте́нке, то́лько пле́чики да те́ло всё вздра́гивают... А я, как и да́веча, в том же ви́де лежа́л-с... И ви́дел я тогда́, молодо́й челове́к, ви́дел я, как зате́м Катери́на Ива́новна, та́кже ни сло́ва не говоря́, подошла́ к Со́нечкиной посте́льке и весь ве́чер в нога́х у ней на коле́нках простоя́ла, но́ги ей целова́ла, встать не хоте́ла, а пото́м так о́бе и засну́ли вме́сте, обня́вшись... о́бе... о́бе... да-с... а я... лежа́л пья́ненькой-с.

(第 1 部第 2 章)

文法事項【歴史的現在】
▼**ви́жу →ви́деть**《不完》「見る」
▼**вздра́гивают→вздра́гивать**《不完》で《完》は **вздро́гнуть**「身震いする」
歴史的現在＝不完了体現在を過去の動作に使う。現在において目撃したり、体験しているかのような感じを引き起こすので、描写に精彩を与える。用いられるのは過去の出来事がはっきりしている場合である。描写的技巧として、小説や伝記、そのほか通常の談話でも用いられる。城田俊・八島雅彦著『新版 現代ロシア語文法－中・上級編』(東洋書店新社、2016 年を参照。

わしは見ておった。5 時過ぎに、ソーネチカは身を起こすと、プラトークをかぶり、外套を着ると家からでかけて行き、8 時過ぎには戻ってきた。帰ってくると、カチェリーナ・イワーノヴナのところにまっすぐに行って、前のテーブルの上に黙って銀 30 枚を取り出して置きました。このあいだずっとひとことも口をきかずに、ちらりと視線を投げたけれど、緑のドラジェダム織の大きなプラトーク（我が家には共用のドラジェダム織のプラトークがあるんですよ）で頭と顔をすっぽりと覆って、ベッドに横になりました。顔を壁に向けて、小さな肩と体が絶えず震えていました…ところがわしときたら、さっきと同じ格好で寝ておったのです…その時、お若いの、カチェリーナ・イワーノヴナが、やっぱり何も言わずに、ソーネチカのベッドに近づくと、一晩中、ソーネチカの足元で、ひざまずき、足に接吻して、立ち上がろうとしないで、その後、抱き合いながら寝入ってしまいました。抱きあって、2 人とも…2 人で…ところがわしときたら、酔ったまま横になっておったわけでして。

【単語】
э́дак [俗語] э́так こうして часу́ в шесто́м は в шесто́м часу́ の数字と単位の順番を入れ替えると概数になる бурну́с(+ик) 19 世紀の婦人用外套 +ик 人また物を表わす。また指小、愛称名詞をなす。「カチェリーナ・イワーノヴナ」家庭の主婦を呼ぶのにやや違和感がある。「カーチャ」が普通の呼び方。 целко́вый [男][俗語] ルーブル（古くはルーブル銀貨） мо́лча 黙って вы́ложить《完》取り出して並べる（《不完》は выкла́дывать）словечко [口語、指小、愛称] → сло́во взять《完》取る（《不完》は брать） драдеда́мовый зелёный плато́к →【鑑賞の手引き】参照 накры́ть《完》覆う（《不完》は накрыва́ть） легла́ → лечь《完》横たわる (ля́гу, ля́жешь, ля́гут 過去形は лёг, легла́) （《不完》は ложи́ться） всё 絶えず посте́ль 寝床、ベッド（＋ка 指小） засну́ть《完》寝入る（《不完》は засыпа́ть） обня́вшись → обня́ться《完》「抱き合う」の副動詞「抱き合って」

文法事項 【物主形容詞】-а, -я に終わる名詞または軟子音に終わる女性名詞からは、-ин に終わる物主形容詞が作られる。	
де́душка → де́душкин	祖父の （生格-а 与格-у）
Со́нечка → 生格 Со́нечкиной	ソーネチカの（長語尾形形容詞変化）

【鑑賞の手引き】

象徴的な「ソーニャ」と「カチェリーナ」

♠Со́фья → Со́ня（愛称）→ Со́нечка（指小形語尾）は「ギリシャ語起源の名前 sophia で、му́дрость 「深い智恵」「賢明さ」を表す。

ロシアでは教会で、生まれた月日に近い聖人たちの表のなかから、司祭が、両親と相談しながら新生児の名前を選んでいった。

たとえばゴーゴリの『外套』の主人公は生まれながらに巡りあわせの悪い人物として描かれたが、命名に苦労した様子が描かれている。Ака́кий とは、変な名前だと言われる。一説ではギリシャ語起源で、「akakos, не де́лающий зла, незлоби́вый　柔和な、温和な」である。人物の内面にマッチした名前を選ぶという手法はゴーゴリから学んでいる。

では Катери́на はどんな意味を持っているか？カチェリーナは正式にはエカチェリーナ Екатери́на で、ギリシャ語起源の katharios 意味は「чи́стый 清い」である。カチェリーナは「地上の正義」を求める。ソーニャの足元への接吻は聖書の「罪の女」を連想する聖書的身振りである。

ついでながらロジオンについても知っておこう。Родио́н は、ギリシャ語起源で rodon、ラテン語起源で poza、「薔薇」を意味する。この名前に作者はどういう意味をこめたのだろうか（江川卓氏は Иродио́н の И を一文字削って Родио́н とした、という説だ。Иродио́н は 「герой, богаты́рь 英雄」という意味がある。「謎とき『罪と罰』」新潮社、1986 年、108-110 ページ）。

♠なぜ、ソーニャの最初の晩の収入が「銀 30 枚」なのか？

これは聖書の次の言葉を頭に置いていると思われる。ユダの縊死を語っているのは、「マタイによる福音書」のみである。口語訳で示しておく。

夜が明けると、祭司長たち、民の長老たち一同は、イエスを殺そうとして協議をこらした上、イエスを縛って引き出し、総督ピラトに渡した。

そのとき、イエスを裏切ったユダは、イエスが罪に定められたのを見て後悔し、銀貨 30 枚を祭司長たち、長老たちに返して言った、「わたしは罪のない人の血を売るようなことをして、罪を犯しました」。しかし彼らは言った、「それは、われわれの知ったことか。自分で始末するがよい」。そこで、彼は銀貨を聖所に投げ込んで出て行き、首をつって死んだ。祭司長たちは、その銀貨を拾いあげて言った、「これは血の代価だから、宮の金庫に入れるのはよくない」。そこで彼らは協議の上、外国人の墓地にするために、その金で陶器師の畑を買った。そのために、この畑は今日まで血の畑と呼ばれている。こうして預言者エレミヤによって言われた言葉が、成就したのである。「彼らは、値をつけられたもの、すなわち、イスラエルの子らが値をつけたものの代価、銀貨 30 を取って、主がお命じになったように、陶器師の畑の代価として、その金を与えた」。

ここで、「銀 30 枚」は、「罪の意識」を象徴的に表している数字だと言える。

では、この晩の値段を特に「銀 30 枚」とすることで、ドストエフスキイは誰の「罪の意識」を表現しているだろう。まず「罪のない人の血を売るようなことをして罪を犯した」ことを後悔している「ソーニャ」、そして、「罪のない人の血を売るようなことをした」娘に売春を強く示唆した「カチェリーナ」そして、ベッドの中から「罪のない人を売るようなこと」を見守ったマルメラードフの「罪の意識の値段」だろう。
この数字は、マルメラードフがソーニャからなけなしの「30」コペイカをせしめるところで繰り返される。さらにマルファ・ペトローヴナはスヴィドリガイロフを3万(ロシア語で30×1000と表現する)ルーブルで買い戻し、スヴィドリガイロフはドゥーニャに30×1000ルーブルくらいを申し出る。
銀「30」枚から、「3」を取り出して考えると、ラスコーリニコフはおばあさん(ロシア民話の悪い老婆バーバ・ヤガーを思わせる　江川卓、前掲書170ページ)の部屋のドアを3度鳴らし、3度斧を振り下ろす。ラスコーリニコフとポルフィーリイは3度にわたってこの小説の非凡人論を語り合い、ラスコーリニコフとソーニャ、ポルフィーリイの重要な出会いは3回ずつ。ラスコーリニコフはソーニャの進むべき運命は3つ、「自殺か、狂気か、淫蕩か」と呟き、そのソーニャの部屋には3つの窓がある、と言う。「3」は父と子と精霊の神の世界の数字で、過去、現在、未来の数字だ。「3」と「4」を再び結びつけるのに「7年」がかかる。
♠「ドラジェダム織」
ドラジェダム織はフランス語のdrap de damesの音をとったもので、薄い女性用の織物。ドストエフスキイの2番目の妻アンナ・グリゴーリエヴナの回想によると、ドストエフスキイのもとを最初に訪れた時「呼び鈴を鳴らすと中年の女性のお手伝いさんがすぐにドアを開けてくれた。肩に緑色のドラジェダム縞のプラトークがかかっていた。私は『罪と罰』(の連載)を読んだばかりだったので、これがマルメラードフの家族であれほど重要な役割を果たしたプラトークだろうか、と思わず考えた」。
♠「緑のプラトーク」
「緑色」はキリスト教では「救済の希望、復活、死の克服」を意味し、聖母マリアの象徴で「謙虚、瞑想、純粋」を表す」(アト・ド・フリース(山下主一郎主幹)『イメージ・シンボル事典』大修館書店、1984年)。「緑のプラトーク」はエルミタージュ美術館所蔵の「ラファエロの聖母」のショールを思わせる。聖母は緑のプラトークにソーニャをそっと包むのだ。この解釈を国際学会で報告した後、「さすがに日本人だ、色に対して繊細だ」と評価された。

【日本では】
太宰治(1909－1948)の『人間失格』が発表されたのは昭和23年6月、7月、8月の「展望」誌だった。「また犯人意識、という言葉もあります。自分は、この人間の世の中に於いて、一生その意識に苦しめられながらも、しかし、それは自分の糟糠の妻の如き好伴侶で、そいつと二人きりで侘びしくたわむれているというのも、自分の生きている姿勢の一つだったかもしれないし、」(6月号、41ページ)
そこにドストエフスキイの『罪と罰』が姿を現す。
「罪と罰、ドストイエフスキイ。ちらとそれが、頭脳の片隅をかすめて通り、はっと思いました。もしもあのドスト氏が、罪と罰とをシノニムと考えず、アントニムとして置き並べたものとしたら?罪と罰、絶対に相通ぜざるもの、氷炭相容れざるもの。罪と罰とをアントとして考えたドストの青みどろ、腐った池、乱麻の奥底の、……ああ、わかりかけた、いや、まだ、……などと頭脳に走馬灯がくるくる廻っていた時に、…」(同号、41ページ)「自分には、その白痴か狂人の淫売婦たちに、マリヤの円光を現実に見た夜もあったのです。」(同号、39ページ)

第 4 課 酒場で（3）

Ду́маешь ли ты, продаве́ц, что э́тот полушто́ф твой мне в сласть пошёл? Ско́рби, ско́рби иска́л я на дне его́, ско́рби и слёз, и вкуси́л, и обрёл ; а пожале́ет нас Тот, Кто всех пожале́л и Кто всех и вся понима́л, Он Еди́ный, Он и Судия́. Прийдёт в тот день и спро́сит, «А где дщерь, что ма́чехе злой и чахо́точной, что де́тям чужи́м и малоле́тним себя́ предала́? Где дщерь, что отца́ своего́ земно́го, пья́ницу непотре́бного, не ужаса́ясь зве́рства его́, пожале́ла?» И ска́жет «Прийди́ ! Я уже́ прости́л тебя́ раз... Прости́л тебя́ раз... Проща́ются же и тепе́рь грехи́ твои́ мно́зи, за то, что возлюби́ла мно́го...» И прости́т мою́ Со́ню, прости́т, я уж зна́ю, что прости́т... Я э́то да́веча, как у ней был, в моём се́рдце почу́вствовал!.. И всех рассу́дит и прости́т, и до́брых и злы́х и прему́дрых и сми́рных... И когда́ уже́ ко́нчит над все́ми, тогда́ возглаго́лет и нам «Выходи́те, ска́жет, и вы! Выходи́те пья́ненькие, выходи́те сла́бенькие, выходи́те соро́мники!» И мы вы́йдем все, не стыдя́сь и ста́нем. И ска́жет «Свинья́ вы! о́браза звери́ного и печа́ти его́;но прийди́те и вы!» И возглаго́лят прему́дрые, возглаго́лят разу́мные... «Го́споди! почто́ сих прие́млеши?» И ска́жет... «Потому́ их прие́млю, прему́дрые, потому прие́млю, разу́мные, что ни еди́ный из сих сам не счита́л себя́ досто́йным сего́...»

(第 1 部第 2 章)

モチーフ「あの方は赦してくださる」

おい、おやじ、お前の半シトーフのウォトカが俺にお楽しみをくれたと思ってるのか？　悲しみを、俺はこの瓶の底に、悲しみを探したんだ。悲しみと涙を。そして味わい、見出したんだ。俺たちを憐れんでくださるのは、万人を憐れみ、理解してくださったあの方だけだ。あの方だけだ。あの方はただ一人の裁き手だ。その日に来られて、こう訊ねられる。「娘はどこにいるか？意地悪な肺病やみの継母のために、他人の年端もいかぬ子供たちに、おのれを売った娘はどこだ？　この世の実の父親を、ならず者の酔っ払いを、けだもののような所業も恐れずに、憐れんでやった娘はどこにいる？」そしてこう言われる。「来るがいい! わたしはすでに一度赦した…一度赦した…お前の多くの罪は、許される。多くを愛したから…」そうして私のソーニャは赦されるだろう。赦してくださることを俺は知っているんだ…さっき、あれのところに行った時に私の心の中で、感じたんだ！…　そして、すべての人を裁いて赦してくださる。善良な者も、意地悪な者も、賢い者も、謙虚な者も…そしてすっかりすべての者が終わろうという時、われわれにもお声をかけてくださる。「おまえたちも出て来るがいい！」と言われる。「出て来るがいい、酔っ払いども、弱い者、恥知らずども！」そこで我々もみな、恥ずかしげもなく、列に並ぶ。するとこう言われる。「おまえたちは豚にも等しいけだものの姿とけだものの刻印を帯びている…でもお前たちも出て来るがいい！」賢者は言う、知者は言う、「主よ、なにゆえに彼らを受け入れるのですか？」すると言われる。「賢者たちよ、知者たちよ、わたしが受け入れるのは、かれらの一人として、自分がそれにふさわしいと思っていなかったからだ…」

【単語】

полуштóф 半シトーフ（ウォトカの 0.6 リットル入りの）瓶　сласть 甘いもの、《俗語》楽しみ、歓楽 вкуси́ть《完》味わう（《不完》は вкушáть）　обрести́《完》見出す（《不完》は обретáть[文]）（例 ищи́те да обретёте 求めよさらば与えられん）жалéть《不完》悲しみ悼む（《完》は пожалéть）　судия́ [文語・雅語・口語] = судья 裁き手（ここではキリストのこと）　дщерь [文語・旧教会スラヴ語起源] = дочь что = котóрый 《関係代名詞》 предáть《完》売る（прéдал, предалá, прéдало）（《不完》は предавáть）　непотрéбный [旧] 無用な、淫蕩な　ужасáясь → ужасáться《不完》「ぞっとする、震え上がる」の副動詞（《完》は ужасну́ться）　звéрство 獣性　прости́ть《完》許す、赦す（《不完》は прощáть）　мнóзи = мнóго 多くを рассудить《完》裁く（《不完》は рассу́живать）　сорóмник сорóмный 《旧・俗》恥知らず　стыдя́сь → стыди́ться《不完》「恥じる」の副動詞 (стыд 恥)　почто [旧・方言 = зачéм, почему́] なぜ сих → сей [文・旧・皮肉]この（этот）　еди́ный（普通否定と）一つの、一人の　достóйный +生格 ～に値する（ルカによる福音書 15 章で放蕩息子の帰還が想起される）

【鑑賞の手引き】

♠文化・歴史学派の研究方法として、創作過程の調査がある。幸いにも『罪と罰』については、3 冊の創作ノートと、ばらばらの紙 76 枚が残されている。創作ノートは ЦГАЛИ（文学と芸術に関する国立中央文書保管所・モスクワ，現在は РГАЛИ）に保管されており、第 3 冊目と破れた草稿は ИРЛИ（国立科学アカデミーロシア文学研究所、現在は ЦГАЛИ СПб・ペテルブルグ）にある。アンナ・ドストエフスカヤの回想によると、これらの資料は 1871 年、セント・イレルの家の屋根裏から偶然に他の草稿や種類と一緒に発見されたという。アンナ・ドストエフスカヤはその後このノートを孫たちに贈り、彼らから文書課へと寄贈された。

『罪と罰』の草稿は И.И. Гливéнко の手によって 1931 年に活字化されたが、『罪と罰』の成立過程を研究するには不適切な形だった。グリヴェンコは創作手帖の初めから機械的に復元していったが、ドストエフスキイは手帖を使うのに開けたページにランダムに書き込んでいて、この書き込みを書いた順番を確定する必要があった。1970 年にようやく Л.Д. Опульская と Г.Ф. Коган によって、新たな順番によって並べ直された。これによって、最初は一人称で書かれていた小説を途中から三人称で書くように転換していて、「一人称と三人称の間を行き来している」という説は誤りであることが判明した。

オプーリスカヤ / コーガン版についても、小説後半の書き込みの順番に私は疑問を持ち、許可を得て РГАЛИ でドストエフスキイ自身の自筆原稿を調査したが、この作家の筆跡は知られるように甚だ読みにくく、またインクの色でどちらが先に書かれたか特定できるのではないか、との希望も、解読は一筋縄ではいかないことが分かった。この仕事は、オプーリスカヤさんのような本国の専門家でなくては難しい。

♠娼婦を許す

この創作ノートに次のような役人の台詞が書かれている。

「役人。自分に対する軽蔑にたえられる人間はだれ一人としていない。」「酔いどれの父と、意地悪で肺病やみの母と、小さい子供たちのために自分の身を売った娘はどこにいる？そしてあれに言う。おいで、おまえの多くの罪は許される。なぜなら多く愛したから。」この「おまえの多くの罪は許される。なぜなら多く愛したから。」というフレーズは、ドストエフスキイ自身がもっていた『新約聖書』のこの個所、私の書き写した『新約聖書』に NB（ノタベネと読む。ここは重要だという意味。89 ページ参照）とマークされて次のような箇所があった。прощáются грехѝ ея̀ мнóгие, за то что онá возлюбѝла мнóго а комý мáло прощáется, мáло лю́бит.

ここで注意すべきは 聖書の文言を変えても(мнóгие → мнóзи)、酔っ払いの演説に旧い響きを出したかった作家の意図だろう。

整理すると、このフレーズは 3 回現れる。1)『新約聖書』「ルカによる福音書第 7 章 36 節」イエスは娼婦に対して「安心せよ」という。2)『罪と罰』の創作ノート 3)『罪と罰』の完成版「マルメラードフの酒場での演説のなかで娼婦であるソーニャは、キリストが現れて「お前の多くの罪は許される」と言ってくれると」信じている。マルメラードフの「一度、お前を許した」ということは「ルカによる福音書」の「罪の女」ことを頭に置いている？
　遠藤周作は『聖書の中の女性たち』（講談社文庫、1972）の中で、「新約聖書でイエスは娼婦に対して『安心するがいい』と言った」と正確に読み取っている。
　「この言葉はその後、文学の上にも大きなイメージを与えました。たとえば、皆さんはドストエフスキイの『罪と罰』という小説をお読みになったでしょう。この小説に出てくるソーニャという売春婦がいかなる人よりも殺人犯ラスコーリニコフの苦悩を慰めたのは彼女が『御足を次第に涙でぬらした』ナインの売春婦と同じ女だったからです」と書いている。

【日本では】

　昭和21（1946)年10月の「新潮」に石川淳（1899－1987）の『焼跡のイエス』が発表される。焼跡の市場にカサブタに覆われ、ぼろをまとった少年が姿を現す。
　「わたしは少年がやはりイエスであって、そしてまたクリストであったことを痛烈に暁った。それならばこれはわたしのために救いのメッセージをもたらして来たものにちがいない。わたしはなに一つ取柄のない卑賤の身だが、それでもなお行きずりに露天の女の足に見とれることができるという俗悪劣等なる性根をわずかに存していたおかげには、さいわい神の御旨にかなって、ここに福音の使者を差遣されたのであろうか。」
　これは16世紀の混乱期、スペインのセヴィリヤにイエス・キリストが姿を現す『カラマーゾフの兄弟』のイワンの語る「大審問官伝説」を思わせる場面である。しかし石川淳は大審問官とイエスの間に行われたとされる神学上の問答（キリストは沈黙で答えるが）など扱わない。石川淳はドストエフスキイの直接的な痕跡を見事に消し去るが、受け取る側にドストエフスキイとの連想が働いたことは、昭和23（1948)年5月の「新潮」に竹山道雄の『焼跡の審問官』という評論が書かれたことからも窺えるだろう。
「芥川も、太宰も、不良少年の自殺であった。」
　坂口安吾（1906－1955)は昭和23年7月に「新潮」に書いた『不良少年とキリスト』でこのように言う。
　「堕落を言い、人間は生きることが、全部である。死ねば、なくなる。無に帰する。それが人間の義務である、という。無頼派にとってのドストエフスキイというテーマは実は一番魅力のあるものかもしれない」。
　この文章で安吾はドストエフスキイに触れ、「ドストエフスキーとなると、不良少年でも、ガキ大将の腕ッ節があった。奴ぐらいの腕ッ節になると、キリストだの何だのヒキアイに出さぬ。自分がキリストになる。キリストをこしらえやがる。まったく、とうとう、こしらえやがった。アリョーシャという、死の直前に、ようやく、まにあった。そこまでは、シリメツレツであった。不良少年は、シリメツレツだ。」とまことに興味深いドストエフスキイ観を提示している。

第 5 課 犠牲とポリフォニー

Таковы́-то мы и есть, и всё я́сно как день. Я́сно, что тут не кто ино́й, как Родио́н Рома́нович Раско́льников в ходу́ и на пе́рвом пла́не стои́т. Ну как же-с, сча́стье его́ мо́жет устро́ить, в университе́те содержа́ть, компаньо́ном сде́лать в конто́ре, всю судьбу́ его́ обеспе́чить; пожа́луй, богачо́м в после́дствии бу́дет, почётным, уважа́емым, а мо́жет быть, да́же сла́вным челове́ком око́нчит жизнь! А мать? Да ведь тут Ро́дя, бесце́нный Ро́дя, пе́рвенец! Ну как для тако́го пе́рвенца хотя́ бы и тако́ю до́черью не пожертвова́ть! О ми́лые и несправедли́вые сердца́! Да чего́: тут мы и от Со́нечкина жре́бия, пожа́луй что, не отка́жемся! Со́нечка, Со́нечка Мармела́дова, ве́чная Со́нечка, пока́ мир стои́т! Же́ртву-то, же́ртву-то о́бе вы изме́рили вполне́? Так ли? Под си́лу ли? В по́льзу ли? Разу́мно ли? Зна́ете ли вы, Ду́нечка, что Со́нечкин жре́бий ниче́м не скве́рнее жре́бия с господи́ном Лу́жиным? "Любви́ тут не мо́жет быть", — пи́шет мама́ша. А что, е́сли, кро́ме любви́-то, и уваже́ния не мо́жет быть, а напро́тив, уже́ есть отвраще́ние, презре́ние, омерзе́ние, что же тогда́? А и выхо́дит тогда́, что опя́ть, ста́ло быть, "*чистоту́ наблюда́ть*" придётся. Не так, что ли? Понима́ете ли, понима́ете ли вы, что зна́чит сия́ чистота́? Понима́ете ли вы, что лу́жинская чистота́ всё равно́, что и Со́нечкина чистота́, а мо́жет быть, да́же и ху́же, га́же, подле́е, потому́ что у вас, Ду́нечка, всё-таки на изли́шек комфо́рта расчёт, а там про́сто-за́просто о голодно́й сме́рти де́до идёт!

(第 1 部第 4 章)

モチーフ「だって、ロージャのことじゃないか」

我々は、そういうふうに出来ているんだ。万事火を見るよりも明らかだ。そして進行中の芝居の主役が、ほかならぬロディオン・ロマーノヴィチ・ラスコーリニコフ様だっていうことだ。もちろんだわ、兄さんを幸せにしてやろう。大学にもいかせてやって。事務所の共同経営者になって、一生困らないようにするの。何とか最後にはお金持ちになって、名声を得て、尊敬されて、もしかしたら、栄光に包まれた人として生涯を終えるかもしれないわ！　でも、母さんは？　だって、ロージャのことじゃないか、大切な、第一子だもの！　長男のロージャのためなら、たとえあんな出来の良い娘でも犠牲にしないって法はないわ！　ああ、なんて優しい、不公平な心の持ち主たちだろう！　なんのことはない、これじゃあ我々もソーネチカの運命を拒否できないじゃないか！　ソーネチカ、ソーネチカ・マルメラードワ、この世の続くかぎり、永久に絶えることのないソーネチカ！　ふたりとも犠牲というものを、犠牲の重さをすっかり測ったのかい？　それでいいのかい？　耐えられるかい？　利益になるのかい？　理にかなっているのかい？　ドゥーネチカ、あなた、お分かりですかな、ソーネチカの運命は、ルージン氏との運命に比べて、卑しいものだ、なんて言えない。「そこには愛情はあり得ません」って母さんも書いているじゃないか。そして、愛情のほかに、尊敬もあり得ない、いや、それどころか、嫌悪、軽蔑、憎悪しかない、となったら？　その時には、やっぱり結局「こざっぱりしたみなりに気をつける」羽目になるんだ。そうじゃないか？どうなんだ？　あなたは、この「*こざっぱりした*」というものが何を意味するか、ご存じですか？ルージン式の「こざっぱり」というやつは、ソーネチカの「こざっぱり」と等しいということを。いや、もしかすると、もっと悪い、もっと忌まわしい、卑劣なものかもしれない。なぜなら、あなたには、ドゥーネチカさん、それでもやっぱり楽をするということが計算に入っているけど、あっちじゃ、もう本当に飢え死にするかどうかの瀬戸際なんだ!

【単語】

ход 進行 в ходу́ 進行中 ну さあ как же = как же ина́че = коне́чно = разуме́ется いうまでもない -с《旧》任意の語に丁重、卑下の意を表す。またおどけや皮肉の意も加わる（су́дарь, суда́рыня の短縮形） обеспе́чить 暮らしにこまらないようにする после́дствие 結果 в ～вии = впосле́дствии その後、将来は бесце́нный 極めて重要な、貴重な пе́рвенец 第一子 жре́бий《詩、旧》運命 отказа́ться（-ажу́сь, -а́жешься）от＋生格《完》拒絶する《不完》は отка́зываться изме́рить《完》測る《不完》は измерять вполне́ すっかり под си́лу《旧》力相応である（例 мне не под си́лу 私の力には及ばない） по́льза 利益 в по́льзу～の利益・ためになる разу́мно 理性をもつ、道理にかなった изли́шек 余分 комфо́рт 慰め расчёт 計算、打算 про́сто-за́просто まったくもう

【鑑賞の手引き】

♠「言葉による構築物」＝モチーフの体系

文学作品は言葉による構築物であり、時にはキーワードが繰り返し使用されることにより作品の主要なテーマを、多面的に浮かび上がらせることができる。

作品全体で繰り返されるキーワードとして、「犠牲 же́ртва」と「永遠 ве́чность」が挙げられる。

ふたりとも犠牲というものを、犠牲の重さをすっかり測ったのかい？

Же́ртву-то же́ртву-то о́бе вы изме́рили вполне́?

人びとの、互いに「犠牲」である関係は、ナポレオンが流した大量の血＝犠牲から、撃ち殺される馬の夢、そしてソーニャが父に与えた 30 コペイカ、ドゥーニャのラスコーリニコフのために選ぶ道にいたるまでの、「この世界の続く限り永遠に絶えることのない垂直的構造」を示している

♠ドゥーネチカ、あなた、お分かりですか Зна́ете ли вы？

なぜドゥーネチカに вы で話しかけるのか？

家族のあいだでは、ты で話すのが普通。じっさい、第 3 部の冒頭でラスコーリニコフがドゥーニャに、「おまえはぼくのためにルージンのところへ嫁に行くんだ。Ты выхо́дишь за Лу́жина для меня́.」と ты で呼びかけている。

ロシアの人と ты で話す親しい間柄になってから丁寧に言おうとして日本語の敬語の意識で вы をあえて使ったところ、「一度 ты の関係になったら、死ぬまで ты で行くんだ。вы を使うとアイロニカルな馬鹿丁寧な感じになる、вы は相手にショックを生む」と教えてくれた。内的ディアローグでドゥーニャに話しかけているこの場面の вы の使用は違和感があり、そのニュアンスを作家は意識して使っただろう。

♠「ミクロの対話 микродиало́г」

母の手紙を読んだあとのラスコーリニコフの独白に、ドストエフスキイの作品に顕著に見られる特徴が明らかに表れている。出会う人々たちがラスコーリニコフの意識に映し出され、それぞれの人生における立場を持つものとして、一貫して対話的な内的モノローグの中にまで入り込んでいる。ラスコーリニコフはこの人物たちとの間で緊張した、「内的対話 вну́тренний диало́г」を開始する。 バフチンはこれを「ミクロの対話 микродиало́г」の見事なサンプルだと言っている。

♠「大きな対話 большо́й диало́г」

この課で取り上げた、1 人の心の中で行われる「ミクロディアローグ」と共に、『罪と罰』では登場人物同士でも対話が行われる。これをバフチンは「大きな対話」と呼ぶ。すでに私たちが取り上げてきた第 2 課から第 4 課まではラスコーリニコフと·マルメラードフの「大きな対話」が行われていた。

バフチンは次のように述べている（ドストエフスキイ理解のための基本的な立場なので、わたしの訳文とともに原文を示しておこう）。

「思想家＝ドストエフスキイ Достое́вский-мысли́тель のイデエ иде́и はポリフォニー小説の中に入ると存在形態を変え меня́ют са́мую фо́рму своего́ бытия́ イデエの芸術的な像 в худо́жественные о́бразы иде́й となる。つまり、人びとの像（Со́ня, Мы́шкин, Зоси́ма）と分かちがたく一体となって、モノローグ的な閉鎖性と完結性から解き放たれ освобожда́ются от свое́й монологи́ческой за́мкнутости и завершённости、完全にディアローグ化され сплошь диалоги́зуются 他のイデエ像 иде́й Раско́льникова, Ива́на Карама́зова и други́х と**すっかり対等な権利を持って** на соверше́нно ра́вных права́х 小説の大きなディアローグ в большо́й диало́г рома́на に加わって行く。

♠バフチンはさらに続けて言う

「それら（彼らのイデエ）に、モノローグ小説において作者が持っている完結するという機能を負わせることはまったく許されない。彼らのイデエは、ここではそうした機能をまったく持っていない。大きなディアローグの対等な参加者だ。時評家ドストエフスキイ Достое́вский-публици́ст が、ある特定のイデエや人物になんらかの愛着を示しているとしたら、それは単に表面的なモメントによるもので（たとえば『罪と罰』の一見したところモノローグ的なエピローグ усло́вно монологи́ческий эпило́г）、ポリフォニー小説の強力な芸術的なロジックを破壊するだけの力はない。芸術家ドストエフスキイは時評家ドストエフスキイに常に勝利をおさめるのだ」(М. М. Бахтин. Проблемы поэтики Достоевского. стр. 106. 本書 143 ページ主要参考文献を参照)。

ラスコーリニコフとソーニャ、スヴィドリガイロフの声が「等価に響く」。この読み方に出会った時、私は、目を開かれる思いがした。時評家ドストエフスキイは、小説を書くことで、自分の偏狭スラブ派な世界観から解放されていた ― それは、私の「直観」でもあったから。

【日本では】

団塊の世代に属する作家、村上春樹（1949－）は『少年カフカ』(2003 年）でドストエフスキイについて発言している。小説の書き方について。

「小説家として最終的に書きたいと思うのは、やはり「総合小説」です。総合小説の定義はなかなか難しいんだけど、具体的に言えば、ドストエフスキイの『カラマーゾフの兄弟』、あれが総合小説の一つの達成ですよね。こんなことを言うのはおこがましいけど、僕の目標は『カラマーゾフの兄弟』。ああいうものをいつか書いてみたいと思う。望みが高いんです(笑)。様々な人物が出てきて、それぞれの物語を持ち寄り、それが複合的に絡み合って発熱し、新しい価値が生まれる。読者はそれを同時的に目撃することができる。それが僕の考える「総合小説」です。むずかしいけどね」（下線は引用者）。

この作家は、「ポリフォニー」という言葉を敢えてつかっていないが、念頭にあるのは、ポリフォニー小説なのではないか？

第 6 課　殺人の場面

Ни одного́ ми́га нельзя́ бы́ло теря́ть бо́лее. Он вы́нул топо́р совсе́м, взмахну́л его́ обе́ими рука́ми, едва́ себя́ чу́вствуя, и почти́ без уси́лия, почти́ машина́льно, опусти́л на го́лову о́бухом. Си́лы его́ тут как бы не́ было. Но как то́лько он раз опусти́л топо́р, тут и родила́сь в нём си́ла.

Стару́ха, как и всегда́, была́ простоволо́сая. Све́тлые с про́седью, жи́денькие во́лосы её, по обыкнове́нию жи́рно сма́занные ма́слом, бы́ли заплетены́ в крыси́ную коси́чку и подо́браны под оско́лок рогово́й гребёнки, торча́вшей на её заты́лке. Уда́р пришёлся в са́мое те́мя, чему́ спосо́бствовал её ма́лый рост. Она́ вскри́кнула, но о́чень сла́бо, и вдруг вся осе́ла к по́лу, хотя́ и успе́ла ещё подня́ть о́бе ру́ки к голове́. В одно́й руке́ ещё продолжа́ла держа́ть "закла́д". Тут он изо всей си́лы уда́рил раз и друго́й, всё о́бухом и всё по те́мени. Кровь хлы́нула, как из опроки́нутого стака́на, и те́ло повали́лось на́взничь. Он отступи́л, дал упа́сть и тотча́с же нагну́лся к её лицу; она́ была́ уже́ мёртвая. Глаза́ бы́ли вы́таращены, как бу́дто хоте́ли вы́прыгнуть, а лоб и всё лицо́ бы́ли смо́рщены и искажены́ су́дорогой.

(第 1 部第 7 章)

【単語】

ни（оди́н とともに）一つも…ない　ни одного́ ми́га 一瞬たりとも　теря́ть 無駄に失う（《完》は потеря́ть）теря́ть бо́лее これ以上失う　вы́нуть《完》= взять изнутри́ 中から取り出す（《不完》は вынима́ть）обе́ими рука́ми → обе ру́ки「両手」の造格　едва́ = почти́ не やっと、ようやく　себя́ 自分、自身　чу́вствуя → чу́вствовать《不完》「感じる」の副動詞　уси́лие 骨折り、努力　о́бух（斧などの）背、峰　тут ここで、その時　как бы あたかも、まるで　как то́лько = лишь то́лько するや否や　простоволо́сая（女性が）頭に何も被らない　про́седь 白髪交じり（例 голова́ с про́седью ゴマ塩頭）жи́рно 脂肪分の多い　сма́занные → сма́занный → сма́зать《完》「油を塗る」の被動形動詞過去　ма́сло 油　заплетены́ → заплетённый → заплести́《完》「編む」の被動形動詞過去　крыси́ная коси́чка ねずみのしっぽのように細い下げ髪

モチーフ「ラスコーリニコフは老婆を殺した」

もう一瞬たりとも無駄に失うことはできなかった。彼は両手で斧をすっかり取り出すと、自分でもほとんど感覚もないままに、力さえいれることもなく、ほとんど機械的に彼女の頭の上に斧の背を打ち下ろした。その時はまるで力が無いようだった。しかし、一度振り下ろすと、たちまち彼の内部に力が生まれた。

婆さんは、いつものように、スカーフをしていなかった。明るい色をした、まばらな髪の毛は、普段どおりに、油をつけていて、ねずみのしっぽのように細いお下げ髪を、角製の櫛の下にまとめて、それがうなじのところに突き出していた。最初の一撃は頭頂部にまともにふりおろされた。彼女の背の低いことがそのような結果を招いた。老女はきゃっと叫び声を上げた。しかし、ひどく弱々しかった。全身は一気に床に崩れ落ちた。それでもまだ両手を頭のほうに上げる力は残っていた。片手は「質草」をしっかりと握っていた。若者は一撃、また一撃と力いっぱい、斧の背で脳天を打ちつけた。ひっくり返したコップからのように血があふれ出し、身体は仰向けに倒れた。彼は体を引いて、老婆が倒れるのをよけて、そしてすぐさまかがみこんで顔を覗き込んだ。老婆はすでに死んでいた。両の目は今にも跳びだしそうにいっぱいに見開かれて、額と顔全体が、けいれんして、しわだらけになり、歪んでいた。

【単語】

подо́браны → подо́бранный → подобра́ть《完》「からげる」の被動形動詞過去短語尾　под + 対格「用いて」　оско́лок 破片　рогова́я гребёнка 角製の櫛　под оско́лок рогово́и гребёнки 角製の櫛の破片を用いて　торча́вшей → торча́вший → торча́ть《完》「突き出る」の能動形動詞過去　заты́лок うなじ　пришёлся → прийти́сь《完》「当たる、ちょうどある高さに当たる」の過去形（例 Уда́р пришёлся ему́ по плечу́. 打撃は彼の肩の辺りに当たった。《不完》は приходи́ться）чему́ → что「前の文章の全体を受けて、そのこと」の与格　спосо́бствовать 与格《不完》「助力する、原因となる」（《完》は поспосо́бствовать）　вскри́кнуть《完》= внеза́пно и отры́висто кри́кнуть「きゃっ、という声で叫ぶ」（《不完》は вскри́кывать）　вся → весь「全身」の女性形　осе́ла → осе́сть《完》「陥没する、(霧などが）地に降りる」の過去形（《不完》は оседа́ть）　успе́ть まだ…するだけの余裕はある（《不完》は успева́ть）　продолжа́ть《不完》し続ける（《完》は продолжи́ть）　держа́ть《不完》保持する　изо всей си́лы = изо всех сил 全力で、力まかせに　раз и друго́й 1 回また 1 回　хлы́нуть《完》= нача́ть ли́ться с си́лой, пото́ком　勢いよく流れ始める　опроки́нутого → опроки́нутый → опроки́нуть《完》「ひっくり返す」の被動形動詞過去　повали́ться《完》倒れる（《不完》は вали́ться）　на́взничь 仰向けに　отступи́ть《完》後退する（《不完》は отступа́ть）　вы́таращены → вы́таращенный → вы́таращить《完》「大きく開く」の被動形動詞過去短語尾　вы́прыгнуть《完》跳び出す（《不完》は выпры́гивть）　смо́рщены → смо́рщенный → смо́рщить《完》「しわをよせる」の被動形動詞過去短語尾　искажены́ → искажённый → искази́ть《完》「歪める」の被動形動詞過去短語尾　су́дорога けいれん

【鑑賞の手引き】

♠なぜドストエフスキイは「殺人事件」を取り上げたか？こういうテーマは文化史学派が得意だ。

当時、殺人事件などの犯罪は、ペテルブルグで非常な増加を示している。統計によると、1853年から1857年の間に犯罪件数は倍増し、盗難や詐欺事件の被害総額は年平均14万ルーブルに上り、毎年の逮捕者は4万人だったという。これは当時のペテルブルグの人口の8分の1に当たるという。8人に1人は犯罪者だった。

いっぽう1864年12月2日の告示で、皇帝は裁判を独立した権限である、とした。予審が警察の権限から外されて裁判官に委ねられた。公開弁論および対審、弁護士制度、陪審員制度などが定められ、裁判制度の整備は1862年以後、次々に打ち出された近代国家への脱皮の試みの一環としてあった。

ドストエフスキイのジャーナリスティックな感覚はこうした社会の動向に敏感に反応する。

♠1865年夏の殺人事件とは？

「声」紙をはじめ、新聞は連日、殺人事件を伝えていた。そのうちの一つが、作家の目に止まったことは十分考えられる。たとえば1865年9月7日の新聞「声」紙は、次のような事件を伝えている。

1865年1月、モスクワで一つの殺人事件が起こった。それは計画的な犯行であり、殺人は晩の7時頃に行われ、2人の老婆が殺された。死因は斧による後頭部への打撃で、金品が奪われた。

犯人はほどなくして逮捕される。ゲラーシム・チストーフという27歳の店員の犯行で、これは分離派教徒раско́льники（語源から言うとロシア正教から打ち割って出た分派）だった。ラスコーリニコフによる斧の打撃による殺人事件の審理が1865年の夏から秋にかけて、裁判の進行はジャーナリズムを通して、連日のように伝えられ、当時の読者はあの「斧の打撃によるラスコーリニクによる殺人」と聞いて、記憶に新しいこの事件を呼び起こしながら、読み進んだ。

ところで、新聞には「背、峰打ち」のことは書かれていない。

♠なぜ作者は、斧の背で、峰打ちо́бухомという設定にしたのか？

主人公はなぜここで斧をо́бухомで打ち下ろしたのか？

なぜ作者はо́бухомを繰り返して使っているのか？ そこには何か意味がありそうである（ゲオルギー・メイエルの説　江川卓『謎とき「罪と罰」』新潮社、1986年、40ページを参照）。

斧の背で、峰打ちする時に、斧の刃はどちらを向いているだろう？

「俺はばばあじゃなくて、自分自身を殺してしまった。Я себя́ уби́л, а не старушо́нку!」（第5編4章）というラスコーリニコフの悲痛な叫びと響き合っているのだろう。

♠作家の想像力の生んだものは？

このモスクワの殺人事件が、モデルの一つになったという前提で実際の事件とどこが違うのか？そこに作家の想像力をうかがうことができるだろう。

1 犯人像の変更。モデルになったかと思われるチストーフは、27 歳の店員だったが、ラスコーリニコフは 23 歳の学生という設定になっている。思想による犯行という設定は作者による虚構である。

2 もとの事件の被害者は料理人と洗濯女だった。主人公の設定として、被害者は金貸し老婆と変更されている。「思想による殺人」との作者の主題に見合った想像力の生んだ独自の設定であろう。

♠次の超短編小説はダニイル・ハルムスの作品である。ハルムスには中編小説に『老婆』もある（『ハルムスの小さな舟』西岡千晶・絵　長崎出版、2007 年）。ロシア・アヴァンギャルドの作家にもこのモチーフは継承されている。

『墜落する老婆たち』

一人の老婆が異常な好奇心から窓から落ち、地面に叩きつけられて粉々になった。

窓からもう一人の老婆が身を乗り出して、下の、粉々になった老婆を見ていたが、極度の好奇心から同じように窓から落ちて、地面に叩きつけられて粉々になった。

それから窓から 3 番目の老婆が落ち、それから 4 番目、そして 5 番目が。

6 番目の老婆が落ちたとき、わたしは見ているのに飽き飽きして、マーリツェフ市場へ出かけた。そこでは、一人の目の見えない人にニットのショールが贈られたといううわさだった。　1936-1937

♠『罪と罰』では、作中人物の一人、ラズミーヒンが、熱病からさめたラスコーリニコフに「伯爵夫人のうわごとなんかいわなかったぜ」といって、ロシアの読者にプーシキンの『スペードの女王』のゲルマンを想起させる。ゴーゴリの『ヴィー』は魔女のばあさんと闘う物語である。

なぜ、「老婆の死」はロシア文学で繰り返されるのか？

ロシアの老婆の原型は「バーバ・ヤガー」だろう。

【日本では】

日本の現実の連続殺人犯、永山則夫（1949－1997、1968 年から 1969 年にかけて連続ピストル射殺事件を引き起こした）は、『無知の涙』で『罪と罰』のことを書いている。

「このドストエーフスキイの文学は、「不用意に読めば恐ろしい破壊力を思考の固まらない若い読者に与えかねない」と小沼氏は解説の文末で言っているが、これは全く本当のことだと思う。季[李] 珍宇もドストのファンだった。そして、この私も、ラスコーリニコフを真似たような私も、ドストには縁が深いのだ」（下線は原文傍点）。

「事件以前に『罪と罰』を読んでいるという事実だ。例の高校へ二度目の新しくやろうと躊いながらもその門をくぐった時節、この著と国語辞典とを小脇にかかえ普遍的な学生のまねをして、ある学校の屋上で、そして電車の中で、又は例の森の小池のほとりで…読み、忘れられないものとなっていた」。

第 7 課　予期せぬ殺人

Среди́ ко́мнаты стоя́ла Лизаве́та, с больши́м узло́м в рука́х, и смотре́ла в оцепене́нии на уби́тую сестру́, вся бе́лая как полотно́ и как бы не в си́лах кри́кнуть. Увида́в его́ выбежа́вшего, она́ задрожа́ла как лист, ме́лкою дро́жью, и по всему́ лицу́ её побежа́ли су́дороги; приподняла́ ру́ку, раскры́ла было рот, но всё-таки не вскри́кнула и ме́дленно, за́дом, ста́ла отодви́гаться от него́ в у́гол, при́стально, в упо́р, смотря́ на него́, но всё не крича́, то́чно ей во́здуху недостава́ло, что́бы кри́кнуть. Он бро́сился на неё с топоро́м; гу́бы её перекоси́лись так жа́лобно, как у о́чень ма́леньких дете́й, когда́, они́ начина́ют чего-нибу́дь пуга́ться, при́стально смо́трят на пуга́ющий их предме́т и собира́ются закрича́ть. И до того́ э́та несча́стная Лизаве́та была́ проста́, за́бита и напу́гана раз навсегда́, что да́же ру́ки не подняла́ защити́ть себе́ лицо́, хотя́ э́то был са́мый необходи́мо-есте́ственный жест в э́ту мину́ту, потому́ что топо́р был пря́мо по́днят над её лицо́м. Она́ то́лько чуть-чу́ть приподняла́ свою́ свобо́дную ле́вую ру́ку, далеко́ не до лица́, и ме́дленно протяну́ла её к нему́ вперёд, как бы отстраня́я его́. Уда́р пришёлся пря́мо по че́репу, остриём, и сра́зу проруби́л всю ве́рхнюю часть лба, почти́ до те́мени. Она́ так и ру́хнулась. Раско́льников совсе́м бы́ло потеря́лся, схвати́л её у́зел, бро́сил его́ опя́ть и побежа́л в прихо́жую. (第 1 部第 7 章)

【単語】

среди́ = внутри́　в це́нтре како́го-то простра́нства なんらかの空間の真ん中に оцепене́ние 呆然自失 → оцепене́ть《完》= замере́ть под влия́нием како́го-нибудь си́льного чу́вства 強い感情の影響下に失神する、知覚を失う（《不完》は цепене́ть） уби́тый → убить《完》「殺す」の被動形動詞過去【鑑賞の手引き】参照 как полотно́ = бле́дный, как полотно́ 蒼白な）（よく使う表現　в си́лах 気力や能力がある 例 я не в си́лах わたしにはできない） увида́в → увида́ть《完》「見る、わかる」の副動詞【鑑賞の手引き】参照 вы́бежавшего → вы́бежавший → вы́бежать《完》走り出る（接頭辞 вы + бежать の能動形動詞過去）

モチーフ「自分の顔を守るために」

部屋の真ん中にリザヴェータが立っていた。両手に大きな包を持って、殺された姉の姿を呆然と見ていた。全身の血の気は失せ、叫ぶ力もないようだった。走り出してきた彼を見ると、彼女は木の葉のように細かく震え始めた。その顔全体に痙攣が走った。片手を少し持ち上げ、口を開きそうだった。しかし相変わらず叫び声は上げなかった。彼を見つめながら、部屋の隅へとのろのろと後ずさりして彼から離れていった。相変わらず叫び声はあげなかった。叫ぶには空気が足りないとでも言うようだった。彼は斧を持って襲いかかった。彼女の唇は訴えかけるように歪んでいた。それはちょうど、とても小さな子供たちが、なにか脅しつけられ、その脅すものをじっと見つめて、叫び声を上げようとしている時のようだった。この不幸せなリザヴェータはあまりにも単純で、ひとたびうちひしがれ、そのまま生涯にわたって脅しつけられたとでもいうように、自分の顔を守るために手を上げようともしなかった。それがこの瞬間にもっとも不可欠かつ自然な身振りだったのにもかかわらず。なぜなら斧は彼女の顔を目がけて振り上げられていたのだから。彼女は空いている左手をようやくほんの少し持ち上げて、とても顔まで上げることのできないまま、少しずつ、彼のほうにさしのべた。彼を押しのけようとするかのように。打撃は頭蓋骨にまっすぐに振り下ろされた。刃が当たって、額の上部ぜんたいを頭頂部にいたるほどに切り裂いた。彼女はとうとう崩れ落ちた。ラスコーリニコフはすっかり動転し、リザヴェータの包みを手に取ると、すぐに放り出して、玄関へと走った。

【単語】

приподня́ть《完》持ち上げる（《不完》は **приподнима́ть**） **раскры́ла было** 開きそうだった **было** 主に完了体動詞の過去形をともなって、開始された動作の中断や予定された成果を上げなかったことを表す **при́стально** じっと **в упор смотре́ть** まじまじと見つめる **смотря → смотреть**《不完》「見る、眺める」の副動詞【観賞の手引き】参照 **недостава́ть**《不完》（生格）不足している（無人称動詞） **пуга́ющий → пуга́ть**《不完》「脅す」の能動形動詞現在【鑑賞の手引き】参照 **напу́гана → напу́ганный → напуга́ть**《完》「脅す」の被動形動詞過去短語尾【鑑賞の手引き】参照 **по́днят → по́днятый → подня́ть**《完》「上げる」の被動形動詞過去短語尾【鑑賞の引き】参照 **отстраня́я → отстраня́ть**《不完》「押しのける、遠ざける」の副動詞 **так и**（不完了体動詞とともに）しきりに、どんどん（完了体動詞とともに）結局 **ру́хнуться**《完》= **с шу́мом упа́сть**（何か重いものが）どさりと倒れる

【鑑賞の手引き】

♠部屋の真ん中に среди́ ко́мнаты

среди́ のような単語は露露辞典を見ると、眼に浮かんでくる。

老婆の家の空間は、まず玄関 прихо́жая があり、次にいまリザヴェータが立ち尽くしている「部屋 ко́мната」があり、さらにその奥に質草を隠してある寝室がある。ラスコーリニコフはこの奥の部屋に入り込んでいた。

♠「Лизаве́та」の文化的背景

第 3 課の【鑑賞の手引き】で、ドストエフスキイは登場人物に意味をこめて命名する作家であることを指摘した。部屋の真ん中に立ち尽くしている Лизаве́та リザヴェータにも、意味が込められているだろうか。リザヴェータは口語で、正式には Елизаве́та といい、古代ユダヤ語で「神は我が誓い Бог моя́ кля́тва、神に懸けて誓う Бо́гом я кляну́сь」という意味を持つ。やがてソーニャがリザヴェータについて「あの人は神にまみえるでしょう Она́ у́зрит Бо́га.」と言うことにも響き合っていよう。

またロシア文学史を紐解くと、ニコライ・カラムジン（1766－1825）の『あわれなリーザ Бе́дная Ли́за』（1792 年）が思い出される。『あわれなリーザ』については藤沼貴氏が次のように書いている。「伝統的な悲恋の型をなぞった、一見、単純な小説だが、カラムジンが西欧文学を研究した結果到達した作品。その核は、西欧的な二元論を克服するロシアのエッセンス—愛と多感なハートである。この作品がロシア文学とロシア人の心に、強いインパクトを与えた最大の理由はここにある」（藤沼貴、水野忠夫、井桁貞義編著『はじめて学ぶロシア文学史』ミネルヴァ書房、2003 年、129 ページ）。

♠副動詞と形動詞の基本

A)副動詞（副詞的な機能を持つ。副分詞ともいう）

a 不完了体副動詞「しながら」→不完了体動詞の現在語幹に-я（ж,ч,ш,щ のあとでは-а）をつける（アクセントは現在 1 人称単数形に等しい）

不定形	現在語幹	副動詞	意味
чита́ть	чита́-ю, чита́-ешь	чита́-я	読みながら
крича́ть	крич-у́, крич-и́шь	крич-а́	叫びながら
смотре́ть	смотр-ю́, смо́тришь	смотр-я́	見ながら

b 完了体副動詞「してしまってから」→完了体動詞の過去語幹に、母音のあとなら-в を、子音のあとなら-ши をつける。

不定形	過去語幹	副動詞	意味
прочита́ть	прочита́-л	прочита́-в	読んでしまって
увида́ть	увида́-л	увида́-в	見ると

B)形動詞（形容詞的な機能を持つ。形容分詞ともいう）

a 能動形動詞現在「している」→不完了体動詞の現在 3 人称複数形の末尾の

子音-т を-щий に変える。（アクセントは-ущий, -ющий のものは複数 3 人称と、-ащий, -ящий のものは不定形と等しい）

不定形	3 人称複数	能動形動詞現在	意味
чита́ть	чита́-ют	чита́ю-щий	読んでいる
пуга́ть	пуга́-ют	пуга́ю-щий	脅している

b 能動形動詞過去「していた・した」→完了体・不完了体からつくられ、過去語幹が母音で終わる場合は、л をのぞいて-вший をつける。過去語幹が子音で終わる場合は-ший をつける。

不定形	過去語幹	能動形動詞過去	意味
чита́ть	чита́-л	чита́-вший	読んでいた

c 被動形動詞現在「されている」→ 不完了体動詞からのみ作られる。現在 1 人称複数形のあとに-ый をつけて作られる。（アクセントは不定形と同じ）

不定形	現在単数 1 人称	被動形動詞現在	意味
чита́ть	чита́ем	чита́емый	読まれている

d 被動形動詞過去「された」→-нный のものと-тый のものとがある。-тый に終わるものは少数で、-уть, -ыть, -оть, -ереть に終わるものと、-ить のうち и が語根に属するもの（例 пить - питый：бить - битый）と-ать, -ять, -еть のうち а, я, е が語根に属するもの（例 жать - жатый：занять - занятый：надеть - надетый）がこれをとる。短語尾形は、-т, -та, -то, -ты となる。

不定形		被動形動詞過去		短語尾形	意味
напуга́ть	→	напу́ганный	→	напу́ган	脅かされた
уби́ть	→	уби́тый	→	уби́т	殺された
подня́ть	→	по́днятый	→	по́днят	振り上げられた

【日本では】

1948 (昭和 23)年 12 月の「文体」第 3 号で大岡昇平（1909－1988）の『野火』の連載が始まる。第二次大戦で、フィリピンのミンドロ島に残された日本兵が、飢餓状況のなかでさまよう物語だが、1949 年 7 月の第 4 号には「鶏と塩と」と題された続編が掲載される。第 4 号の最後のページにドストエフスキイが現れる。塩を求めて村に入った兵隊が現地の男女と出会い、女性を撃ち殺した直後の場面だ。

「男が何か喚いた。片手を前に挙げて、のろのろと後ずさりするその様子のドストエフスキイの描いたリーザの場合との著しい類似が、さらに私を駆った。私はまた射った」（第 4 号、104 ページ）。

「片手を前に挙げて、のろのろと後ずさりする」子供の怯えた表情は日本の文学者には、暴力を受ける側の身振りとして、強く印象付けられた（第 19 課を参照）。

第 8 課　ネヴァ川上のパノラマ

Необъясни́мыми хо́лодом ве́яло на него́ всегда́ от э́той великоле́пной панора́мы: ду́хом немы́м и глухи́м полна́ была́ для него́ э́та пы́шная карти́на... Диви́лся он ка́ждый раз своему́ угрю́мому и зага́дочному впечатле́нию и откла́дывал разга́дку его́, не доверя́я себе́ в бу́дущее. Тепе́рь вдруг ре́зко вспо́мнил он про э́ти пре́жние свои́ вопро́сы и недоуме́ния, и показа́лось ему́, что не неча́янно он вспо́мнил тепе́рь про них. Уж одно́ то показа́лось ему́ ди́ко и чу́дно, что он на том же са́мом ме́сте останови́лся, как пре́жде, как бу́дто и действи́тельно вообрази́л, что мо́жет о том же са́мом мы́слить тепе́рь, как и пре́жде, и таки́ми же пре́жними те́мами и карти́нами интересова́ться, каки́ми интересова́лся... ещё так неда́вно. Да́же чуть не смешно́ ему́ ста́ло и в то же вре́мя сдави́ло грудь до бо́ли. В како́й-то глубине́, внизу́, где-то чуть ви́дно под ногáми, показа́лось ему́ тепе́рь всё э́то пре́жнее про́шлое, и пре́жние мы́сли, и пре́жние зада́чи, и пре́жние те́мы, и пре́жние впечатле́ния, и вся э́та панора́ма, и он сам, и всё, всё... Каза́лось, он улета́л куда́-то вверх и всё исчеза́ло в глаза́х его́... (第 2 部第 2 章)

【単語】

ве́ять+造格《不完》［多く無人称文で］漂う（例 в во́здухе ве́яло весно́й. 春の気配が漂っていた）（《完》は прове́ять）немо́й и глухо́й 口もなければ耳もない（聖書からの引用【鑑賞の手引き】を参照）мертви́ть《不完》元気を失わせる（《完》は омертви́ть）откла́дывать《不完》延期する（「その都度」と動作が重なるために不完了体）（《完》は отложи́ть）

モチーフ「華麗な光景なのに」

この壮麗なパノラマからはいつも説明しがたい冷気が彼に吹き付けて来るのだった。その華やかな光景が、彼には口をきけなくする、聞くこともさせない霊によって満たされていた...その都度、陰鬱な謎めいた自分の印象に驚きながらも、彼は自分を信じられないままに、謎を解くことを将来に先延ばしにしてきた。ところがいま、突然に、これらのかつて自分が抱いていた疑問や疑惑をはっきりと思い出した。そして、それらをいま思い出したことが単なる偶然とは思えなかった。こうして、ほかならぬ同じ場所に立ち止まったことだけでも奇怪な、奇跡のようなことに思えた。あたかもいままた同じ場所にたてば、かつて、と言ってもつい最近のことだけれど、興味を惹いた同じテーマや光景に興味をひかれるものと思っていたのだ。我ながら少し滑稽に思えた。同時に胸が痛いくらいに締め付けられた。どこかの深みの、足元はるかに見えるかどうかの下の方にすべて以前の過去のいっさいがあるように思われた。以前の思いも、以前の課題も、以前のテーマも、以前の印象も、そして目の前のパノラマも、彼自身も、何から何までが...彼はどこか高く上方へと飛び去り、すべてが視界から消えてしまったようだった...

【単語】
доверя́я → доверя́ть《不完》「信頼する」の副動詞 ди́кий 野蛮な、奇怪な на том же са́мом ме́сте まったく同じ場所で сдави́ть《完》締め付ける（《不完》は сда́вливать）
глубина́ 深み улета́ть《不完》飛び去る（接頭辞 у + лета́ть）（《完》は улете́ть）
исчеза́ть《不完》消える（《完》は исче́знуть）

【鑑賞の手引き】

♠『罪と罰』の草稿を読む

「まえがき」で紹介したように、『罪と罰』の草稿の大部分は残されており、それぞれ該当する箇所を読むことで、作者がこめた意図を知ることができることもある。文化史学派の強みだ。

草稿中の「ネヴァ川のパノラマ」の該当する箇所には次のように書かれている。「このパノラマには一つの性質がある。それはすべてを打ち砕き、すべてを死に至らしめ、すべてをゼロに帰せしめるものだった。その性質は完全なる冷気と死滅だった。そこからは説明のできない寒さが吹き付けていた。《口をきけなくする、聞くこともさせない霊 немо́й и глухо́й дух》がパノラマぜんたいにあふれていた。私は表現する能力がないが、そこにあるのは死 ме́ртвенность でさえもなかった。なぜなら死んだものは、かつて生きていたものに限る。しかし、私は知っている。私の印象は抽象的な отвлечённое、頭で考えたような головно́е、考え抜かれた вы́работанное ものではなく、直接的 непосре́дственное なものだった」（30 巻全集第 7 巻、39－41 ページ）。

♠дух немо́й и глухо́й とは？（口語訳聖書改訂後の訳を用いる）

聖書起源の言葉で「マルコの福音書」の第 9 章を読む。

その子の父親はすぐ叫んで言った、「信じます。不信仰なわたしを、お助けください」。

イエスは群衆が駆け寄って来るのをごらんになって、けがれた霊をしかって言われた。「口をきけなくする、聞くこともさせない霊よ、わたしがおまえに命じる。この子から出て行け。二度と、はいって来るな」。すると霊は叫び声をあげ、激しく引きつけさせて出て行った。<u>その子は死人のようになったので、多くの人は、死んだのだと言った。 しかし、イエスが手を取って起されると、その子は立ち上がった</u>。 家にはいられたとき、弟子たちはひそかにお尋ねした、「わたしたちは、どうして霊を追い出せなかったのですか」。すると、イエスは言われた、「このたぐいは、祈りによらなければ、どうしても追い出すことはできない」（第 24 節－第 29 節、下線は井桁）。

この「霊」とは、症状から、癲癇の発作であるとされてきた。

下線を施した記述はラザロの復活についての記述とまったく同じだ（第 17 課を参照）。

すなわち、ここにもラザロの復活と同じキリストによる「死んだと思われていた人の（死からの）」復活というモチーフが隠れている、との解釈が可能だ。すると「死」せる都＝口をきけなくする、聞くこともさせない霊に満たされた「死んだ」都市であるペテルブルグは、キリストの再臨を待っているラスコーリニコフはこのように「幻視した」と、解くことができる？

♠創作ノートを読むことで、完成稿の謎解きができることも多い。この 2 つのテクストの違いを明らかにしておこう。第二の創作手帖のメモと完成稿を比較すると、この「口をきけなくする、聞くこともさせない霊」のモチーフは残っている。草稿には《》があるが、完成稿では《》はついていない。

なぜか？ 聖書からの引用は危険だったか？ いっぽう、「死」という言葉は創作手帖にはあるが、最終稿にはない。
♠この「印象」は危険なものだった。「死滅」という観念すらも介在しない直接的な＝裸の「モノ」の世界を見てしまう。それはあらゆる「物語」も失わせる。

【日本では】

『罪と罰』を英語から訳しているのは内田魯庵で、明治25（1892）年のことだ。

「ここは取り分けてラスコーリニコフには馴染みの土地で、過ぎし日大学に在校の時は、個々を漂泊うて目に映る絶妙の「パノラマ」を実際感得した事も百度に上った。ここでは何とも云われぬ軟らかな風が彼の面を吹いて景色も又言わず語らずに彼に訴えた」。

ここでは主人公と自然が世界と調和している。明治の文学的感性では、都市空間（世界）からの疎外感というテーマなど甘受できなかった、と不注意な研究者は誤解してしまう。

しかしそうではない。ここでは比較文学の方法が有効だ。
♠魯庵が翻訳の底本にしたのは 1888 年に出た英訳本で、訳者はフレドリック・ヴィショウ。英訳の Crime and Punishment の当該の箇所は次のようになっている。
This spot was particularly well known to him, and in his old University days it happened, hundred of times, that he would linger here, at this very place, and really admire the beautiful panorama displayed to his eyes. An inexplicably soothing air appeared to blow upon him in this place, and the scene appealed to him mutely.

藤村が読んだヴィショウの訳ではもともとドストエフスキイの原文にある「世界からの疎外感」が見当たらない。代わって「soothing 落ち着かせる、なだめる、慰める、鎮静する〔音楽などが〕心地良い、うっとりさせる」が入っている。これでは逆だ。

この問題は比較文学がテーマの一つとしている「誤訳によって生み出されるもの」というテーマに繋がっていく。1914 年になって原文に忠実なコンスタンス・ガーネット訳が出る。
When he was attending the university, he had hundreds of times generally on his way home stood still on this spot, gazed at this truly magnificent spectacle and always marveled at a vague and mysterious emotion it roused in him. It left him strangely cold ; this gorgeous picture was for him blank and lifeless. He wondered every time at his somber and enigmatic impression and, mistrusting himself, put off finding the explanation of it.（ガーネット訳は当時の英語版聖書の言葉と一致しているかどうか、調査したい）

イギリスにおいて、ワーズワースの『湖畔』のロマンティシズムの自然感覚が、20 世紀モダニズムの不条理の世界に転換する。二つの『罪と罰』の英語訳は、そうしたイギリス文学の感性の転換点を表現しているのではないだろうか？

第 9 課　マルメラードフの死

— Молчи́-и-и! Не на́до!.. Зна́ю, что хо́чешь сказа́ть!.. — И больно́й умо́лк; но в ту же мину́ту блужда́ющий взгляд его́ упа́л на дверь, и он увида́л Со́ню...

До сих пор он не замеча́л её: она́ стоя́ла в углу́ и в тени́.

— Кто э́то? Кто э́то? — проговори́л он вдруг хри́плым задыха́ющимся го́лосом, весь в трево́ге, с у́жасом ука́зывая глаза́ми на дверь, где стоя́ла дочь, и уси́ливаясь приподня́ться.

— Лежи́! Лежи́-и-и! — кри́кнула бы́ло Катери́на Ива́новна.

Но он с неесте́ственным уси́лием успе́л опере́ться на руке́. Он ди́ко и неподви́жно смотре́л не́которое вре́мя на дочь, как бы не узнава́я её. Да и ни ра́зу ещё он не вида́л её в тако́м костю́ме. Вдруг он узна́л её, прини́женную, уби́тую, расфранчённую и стыдя́щуюся, смире́нно ожида́ющую свое́й о́череди прости́ться с умира́ющим отцо́м. Бесконе́чное страда́ние изобрази́лось в лице́ его́.

— Со́ня! Дочь! Прости́! — кри́кнул он и хоте́л бы́ло протяну́ть к ней ру́ку, но, потеря́в опо́ру, сорва́лся и гро́охнулся с дива́на, пря́мо лицо́м на́земь; бро́сились поднима́ть его́, положи́ли, но он уже́ отходи́л. Со́ня сла́бо вскри́кнула, подбежа́ла, обняла́ его́ и так и замерла́ в э́том объя́тии. Он у́мер у неё в рука́х. (第 2 部第 7 章)

モチーフ「彼はむすめの抱擁の中で死んでいった」

「黙ってなさい！　言わなくてもいいの！　言いたいことはわかってます。」

病人は黙った。と、ちょうどその時、彼のさまよっている視線がドアに止まり、ソーニャの姿を見分けた。

この時まで、彼女に気づかなかったのだ。隅の、暗がりに立っていたから。

「あれは誰だ？　あれは誰だ？」突然、彼はしゃがれた、あえぐような声で言った。すっかりおびえあがり、恐れにかられて、眼で娘の立っているドアのほうをさした。そして起き上がろうともがいた。

「横になっていなさい、ってば！」カチェリーナ・イワーノヴナは声を上げようとした。

しかし、かれは異常なほどの力を振り絞ってようやく片手で身を起こした。そして奇妙な風に、じっと動かず、娘をしばらく見ていた。まるで自分の娘だとわからないようだった。これまで一度もこんな服装をしている姿を見たことがなかった。突然に、娘を見分けた。卑しめられ、打ちひしがれ、飾りたてたれ、恥かしそうに、死を迎える父との別れを告げる順番を謙虚に待っている娘を。限りない苦しみが父親の顔に浮かんだ。

「ソーニャ！　娘よ！　許しておくれ！」そう叫ぶと、娘のほうに手を差し伸べようとした。しかし、支えを失って、ソファから床に滑り落ちて音を立てた。顔を打ち付けて。人びとは急いで助け起こし、寝かせたが、彼は息を引き取るところだった。ソーニャは弱い叫び声を上げて、駆け寄り、彼を抱きしめて、動かなくなった。彼はむすめの抱擁の中で死んでいった。

【単語】

умóлк → умóлкнуть《完》「黙る、静まる」の過去形（умóлк, умóлкла）　блуждáющий → блуждáть《不完》「さまよう」の能動形動詞現在　до сих пóр = дó сих пор 今まで、このときまで　задыхáющийся → задыхáться《不完》「息切れがする、あえぐ」の能動形動詞現在　кри́кнула бы́ло → бы́ло ＋ 動詞の過去形をともなって、されなかった動作を表す、または無結果に終わった、完遂されなかった動作を表す「声を上げようとした」　уси́ливаясь → уси́ливаться《不完》「努力する」の副動詞　оперéться《完》寄りかかる、もたれる　ди́ко 奇妙に　узнавáя → узнавáть《不完》「認める」の副動詞　прини́женный → прини́зить《完》「卑しめる」の被動形動詞過去　уби́тый → уби́ть《完》「殺す、絶望させる」の被動形動詞過去　расфранчённый おおいにめかした　стыдя́щуюся → стыди́ться《不完》「赤面する、恥じる」の能動形動詞現在　смирéнно 謙虚に　ожидáющий → ожидáть+生格《不完》「待つ」の能動形動詞現在　умирáющий → умирáть《不完》「死ぬ」の能動形動詞現在　потеря́в → потеря́ть《完》「失う」の副動詞　сорвáться《完》滑り落ちる　грóохнуться《完》大きな音をたてて落ちる　нáземь 地上に、床に、下に　отходи́ть《不完》〔旧〕息を引き取る（《完》は отойти́）　обнялá → обня́ть《完》「抱擁する」の過去形（óбнял, обнялá, óбняло）　замерлá → замерéть《完》「動かなくなる」の過去形（зáмер, замерлá, зáмерло）

【鑑賞の手引き】

♠грех（下線は引用者）は、この作品において主要なテーマである

　翻訳では見えないところもロシア語では姿を現す。

Э́кой грех! Го́споди, грех-то како́й!

マルメラードフの死の場面で，御者は声を上げる。直訳すれば「なんという罪だろう！神よ、なんという罪！」

　瀕死のマルメラードフのために呼ばれて来た聖職者とカチェリーナは口論する。

Бог ми́лостив, наде́йтесь на по́мощь, — на́чал бы́ло свяще́нник.

Э-эх! Ми́лостив, да не до на́с!

Э́то грех, грех, суда́рыня, — заме́тил свяще́нник, кача́я голово́й.

А э́то не грех?

　このように、原文では神の掟を破る「罪」について問われている。(⇔преступле́ние 犯罪)

♠「3」は聖なる数である。

　怪我人が運ばれたのが、現場から30歩。

　怪我人は車輪に巻き込まれて30歩ほど舗道をひきずられた、という。

　御者がマルメラードフのために声をかけたのは3度である。

　ここでも「3」が集中している。

♠A Concordans to Doctoevsky's Crime and Punishment.から見えてくるもの。

◆「страда́ние 苦しみ」という言葉を引く。

страда́ние　単数主格＋単数対格　15回、со страда́нием　前置詞 с と単数造格で4回、страда́нии　単数前置格2回、поклони́лся, я всему́ страда́нию челове́ческому というところで単数与格1回の計22回

◆これに対して

「愛 любо́вь」の単数主格＋単数対格　総計は少なく6回

　それも後半に5回が集中している。前半に「愛」が語られることが少ない。

このデータからは、『罪と罰』という小説においては、「苦しみ」がさまざまな角度から検討されており、「愛」という言葉はこの小説のなかで使われている回数が意外に少ないことがわかる。「愛」よりも「「苦しみ」を語ることが多い作品であると言える。

♠「на поро́ге 敷居の上で」という叙述が全体に多く、15 回にも上る。стоя́ть という動詞とともに使われることが多く、この小説では人びとが「敷居の上に立ち尽くす」ことが多いことが分かる。(「敷居」のクロノトポスについては第 1 課を、「襖」についてはこの課の【日本では】を参照)

【日本では】

♠夏目漱石（1867－1916）の作品にはドストエフスキイを直接に名指した箇所がある。彼も「マルメラードフ」の人物像に心を動かされた、早い時期の作家である。

『明暗』(大正5(1916)年5月26日から同年12月14日まで「朝日新聞」に連載され、作者病没のため 188 回までで未完となった。大正 6(1917)年に岩波書店から刊行)である。連載の第35回にこんな一節がある。

「露西亜の小説、ことにドストエヴスキの小説を読んだものは必ず知つてる筈だ。如何に人間が下賤であろうとも、又如何に無教育であらうとも、時としてその人の口から、涙がこぼ

れる程有難い、さうして少しも取り繕はない、至純至精の感情が、泉のやうに流れ出して来る事を誰でも知つてる筈だ。君はあれを虚偽と思ふか。」

こう語る「小林」という人物像は、これまで『罪と罰』のマルメラードフを思わせる、と複数の評者に指摘されてきた。彼の赤貧、また自己卑下は確かに 19 世紀のペテルブルグの呑んだくれの下級役人を想起させる。

♠「襖」のクロノトポス（拙稿「ドストエフスキーと漱石」（『国文学』2008 年 6 月号）

ドストエフスキイのクロノトポス（バフチンによる）を日本の文学の風土に移すとき、想起されるのは『こころ』の「敷居」および「襖」だろうか。

「然し私がいつもの通りKの室を抜けやうとして、襖を開けると、其所に二人はちやんと坐つてゐました。」

「すると居ないと思ってゐたKの声がひよいと聞こえました。同時に御嬢さんの笑ひ声が私の耳に響きました。私は何時ものように手数のかゝる靴を穿いてゐないから、すぐ玄関を上がって仕切りの襖を開けました。」

「十時頃になって、Kは不意に仕切りの襖を開けて私と顔を見合わせました。彼は敷居の上に立った儘、私に何を考えてゐると聞きました。」

「然し突然私の名を呼ぶ声で目を覚ましました。見ると、間の襖が二尺ばかり開いて、其所にKの黒い影がたつてゐます。」

「見ると、何時も立て切つてあるKと私の室との仕切の襖が、此間の晩と同じ位開いています。」「さうして振り返つて、襖に迸つてゐる血潮を始めて見たのです。

❤柄谷行人は既に次のように指摘している。

「『明暗』において漱石の新しい境地があるとしたら、それは「則天去私」というような観念ではなく、彼の表現のレベルにおいてのみ存在している。この変化は、たぶんドストエフスキーの影響によるといえるだろう」（柄谷行人「『明暗』」1985 年、『漱石論集成』第三文明社、1992 年所収、294 ページ）。

「彼らの饒舌、激情、急激な反転は、そのような“他者”に対する緊張関係から生じている。いいかえれば、漱石は、どの人物をも、中心的・超越的な立場に立たせず、彼らにとって思いどおりにならず見とおすこともできないような“他者”に対する緊張関係においてとらえたのである」（同 295 ページ）。

「われわれにとって重要なのは、書かれていない結末ではなく、どの人物も“他者”との緊張関係におかれ、そこからの脱出を激しく欲しながらそのことでかえってそこに巻きこまれてしまわざるをえないような多声的な世界を、『明暗』が実現していることである。それは、一つの視点＝主題によって“完結”されてしまうことのない世界である」（同 297 ページ）。[1]

そのとおりであろう。漱石の「露西亜の小説を読んで自分と同じ事が書いてあるのに驚ろく」というメモも、むしろこうした詩学のレベルの反応ではないかと私は考えている。

---

1 佐藤泰正氏も『明暗』の方法、文体に「ドストエフスキイの影」を見ている（佐藤泰正『夏目漱石論』筑摩書房、1986 年、402 ページ）。

第10課　凡人と非凡人

Одни́м сло́вом, я вывожу́, что и все, не то что вели́кие, но и чуть-чу́ть из колеи́ выходя́щие лю́ди, то есть чуть-чу́ть да́же спосо́бные сказа́ть что́-нибудь но́венькое, должны́, по приро́де свое́й, быть непреме́нно престу́пниками, — бо́лее и́ли ме́нее, разуме́ется. Ина́че тру́дно им вы́йти из колеи́, а остава́ться в колее́ они́, коне́чно, не мо́гут согласи́ться, опя́ть-таки по приро́де свое́й, а по-мо́ему, так да́же и обя́заны не соглаша́ться. Одни́м сло́вом, вы ви́дите, что до сих по́р тут нет ничего́ осо́бенно но́вого. Э́то ты́сячу раз бы́ло напеча́тано и прочи́тано. Что же каса́ется до моего́ деле́ния люде́й на обыкнове́нных и необыкнове́нных, то я согла́сен, что оно́ не́сколько произво́льно, но ведь я же на то́чных ци́фрах и не наста́иваю. Я то́лько в гла́вную мысль мою́ ве́рю. Она́ и́менно состои́т в том, что лю́ди, по зако́ну приро́ды, разделя́ются *вообще́* на два разря́да: на ни́зший (обыкнове́нных), то есть, так сказа́ть, на материа́л, слу́жащий еди́нственно для зарожде́ния себе́ подо́бных, и со́бственно на люде́й, то есть име́ющих дар и́ли тала́нт сказа́ть в среде́ свое́й *но́вое сло́во*. (第3部第5章)

モチーフ「自分の環境の中で、新しい言葉を言うことのできる」

一言でいうと、偉人に限らず、ほんの少しでも常軌を逸した人、何かちょっとでも新しいことを言える人は全員が、その本性に従って、犯罪者にならなくてはならないのです。これは多かれ少なかれ、当然のことなのです。そうでなくては、彼らは軌道を外れることは難しいし、といって、軌道に収まっているのも、もちろん、賛同できないわけです。またもや、その本性に従って、です。ぼくの考えでは、賛同しないことが義務でさえあるのです。一言でいうと、あなたはお判りでしょうが、これまで特に新しいことはなんにもないのです。1000 回も印刷され、読まれてきたのです。人間を凡人と非凡人と二種類に分けるというぼくの二分法について言えば、やや根拠のないものであることだと思います。ぼくは何も正確な数字に固執するわけじゃありません。自分の主たる考えを信じているんです。その考えと言うのは、こうです。人間は、自然の法則に従って、**一般的に**、二つに分けられます。低級な人間（凡人）、つまり、言ってみれば、材料、ただ自分と同じ人間を生み出すことだけに従事する人間と、もう一つは人間そのもの、つまり、自分の環境の中で、**新しい言葉**を言うことのできる天分と才能を持っている人々です。

【単語】
одни́м сло́вом 一口に言えば вывожу́ → выводи́ть《不完》導き出す не то что вели́кие, но и 偉人に限らずまたほかにも колея́ 轍（例 вы́йти из коле́й 常軌を逸する）но́венький＝но́вый 新しい произво́льно 根拠がない、勝手な наста́ивать《不完》на+前置格《不完》言い張る、固執する（～на своём 自分の主張を押し通す）зарожде́ние 出生 со́бственно《挿入語》実は дар 贈り物、天賦、天分、才幹

【鑑賞の手引き】

♠「罪」について

ロシア語には「罪」を表す言葉が2つある。「грех グレーフ」と「преступление プレストゥプレーニエ」である。

「грех グレーフ」を辞書で引くと「（宗教上、倫理上の）罪」と説明があり、「преступление プレストゥプレーニエ」の意味には「①〔廃〕踏み越えること　②（法律上の）罪、犯罪」とある。

江川卓氏の著書『謎とき「罪と罰」』（新潮社、1986年）には次のようなところがある。

「題名に使われたプレストゥプレーニエのほうは神や良心とはなんのかかわりもない語で、もとになった動詞の語義そのまま、文字どおり、人間の定めたおきて、法律や社会的規範を踏み超える行為なのである」。

さらに続けて江川氏は「凡人」と「非凡人」の議論につなげる。

「ラスコーリニコフはふつうの人間、彼自身の分類法を借用すれば、「非凡人」ならぬ「凡人」たちが恐れてやまない「プレストゥピーチ」という新しい一歩を、あえて踏み出すことを決意するのである」（21ページ）。

ここに書かれている、「題名に使われたプレストゥプレーニエのほうは神や良心とはなんのかかわりもない語で」というのは間違いで、以下、『ローマの信徒への手紙第5章』を確認しておこう。

「一人の罪（プレストゥプレーニエ）によってその一人を通して死が支配するようになったとすれば、なおさら、神の恵みと義の賜物とを豊かに受けている人は、一人のイエス・キリストを通して生き、支配するようになるのです。そこで、一人の罪（プレストゥプレーニエ）によってすべての人に有罪の判決がくだされたように、一人の正しい行為によって、すべての人が義とされて、命を得ることになったのです」。

♠ナポレオンのイデエ（第1のステップ＝文化史学派によるアプローチ）

ナポレオンの生涯の評価はこの時期のヨーロッパ、ロシアを巻き込む議論だった。そのきっかけとなったのは1865年3月に刊行されたナポレオン3世の著書『ジュリアス・シーザー伝』である。とりわけ論争の的になったのは同年2月ごろから各国語の翻訳が出された「序文」だった。著者はここで叔父にあたるナポレオンの「非凡人 необыкнове́нный」としての歴史上の役割を強調しており、そのいくつかの箇所に『罪と罰』のラスコーリニコフの論文といわれるものに直接に繋がるモチーフを見ることができる（以下『ジュリアス・シーザー伝』ロシア語に訳されたものより）。

「並外れた功績 необыкнове́нные дела́ によって崇高な天才（гениа́льный челове́к）の存在が証明されたとき、彼に対して月並みの人間の情熱や目論見の基準を押し付けるほど非常識なことがあるだろうか。これら特権的な人物の優越性を認めないのは（Не признава́ть превосхо́дство э́тих и́збранных суще́ств）大きな間違いだろう。彼らは時に歴史上に現れ、あたかも輝ける彗星の如く、時代の闇を吹き払い、未来を照らし出す」。

「本書の目的は以下のことを証明することにある。神がシーザーやカール大帝、ナポレオンのごとき人物を遣わす。それは諸国民にその従うべき道を指し示し、天才をもって新しき時代の到来を告げ、わずか数年のうちに数世紀にあたる事業を完遂させるためである。彼らを理解し、従う国民は幸せである。彼らを認めず、敵対する国民は不幸である。そうした国民はユダヤ人同様、自らのメシアを十字架にかけようとする。彼らは盲いており、罪あるものである」。

この「序文」は1865年2月19日付け「サンクト・ペテルブルグ通報」や2月21日付け「モスクワ通報」などに掲載された。ボナパルティズムの擁護、ナポレオン3世の政治姿勢を正当化するこの論は、多くの反発を呼んだ。

♠原型イデエを批評してすませようとすることは、まったく許されない（第2段階＝バフチンによるポリフォニー小説のアプローチ）

今、私たちが見てきたように、ドストエフスキイは自分のイデエの像を一度として無から創造したのではなく頭でこしらえたわけでもない。「彼はただ目の前の現実の中にそれらを聞き取り、あるいは予測することができたのだ он умéл их услы́шать и́ли угадáть в нали́чной действи́тельности.」М.М.Бахти́н. 前掲書 стр.103.

ドストエフスキイの小説中のイデエの像には、その主人公と同様に、一定の**原型** прототи́п **を見出し、指摘することができる。ラスコーリニコフのイデエの原型はナポレオン3世が『ジュリアス・シーザー伝』で展開したイデエである。**

♠「自我」の問題

安アパートの5階の屋根裏部屋。家庭教師の口もほうりだし、ベッドに横になって、ナポレオンの空想に浸っている元学生のラスコーリニコフ。彼の論文には、人類は「凡人」と「非凡人」との2種類に分かれる。殺人を犯してからソーニャに告白する。「一刻でも早く自分が「ナポレオンかシラミか」知りたかった」ラスコーリニコフ。皇帝ナポレオンと、同化する「心的インフレーション」（C・G・ユング『自我と無意識の』人文書院、1982、34ページ）の状態にある。

この自我の問題はマルメラードフをも悩ませてている。「ひとりむすめが身を売る」のを知りながらベッドによこたわってながめている。こんな男を「人間」とは呼べない、「豚」と呼んで欲しい。居酒屋で酔い潰れた彼は、娼婦を赦したキリストのように俺を磔にしろ、と叫ぶ。

【日本では】

村上春樹（1949－）の長編小説『羊をめぐる冒険』（1982年）にも人間の2分法は出て来る。黒服の男が「強大な地下の王国」について、「僕」に語って聞かせる。

「組織は二つの部分に分かれている。前に進むための部分と、前に進ませる部分だ」「前に進む部分が『意志部分』で、前に進ませる部分が『収益部分』だ」。

「鼠」から来る手紙に本書のテーマに応える箇所がある。

「おそらくわれわれは十九世紀のロシアにでも生まれるべきだったかもしれない。僕がなんとか公爵で、君がなんとか伯爵で、二人で狩りをしたり、決闘をしたり、恋のさやあてをしたり、形而上的な悩みを持ったり、黒海のほとりで夕焼けを見ながらビールを飲んだりする。そして晩年には「なんとかの乱」に連座して二人でシベリアに流され、そこで死ぬんだ。こういうのって素敵だと思わないか？　僕だって十九世紀に生まれていたら、もっと立派な小説が書けたと思うんだ。ドストエフスキーとまではいかなくても、きっとそこそこの二流にはなれたよ」。

第11課　ラスコーリニコフの夢（1）

Огро́мный, кру́глый, медно-кра́сный ме́сяц гляде́л пря́мо в о́кна. «Э́то от ме́сяца така́я тишина́, — поду́мал Раско́льников, — он, ве́рно, тепе́рь зага́дку зага́дывает». Он стоя́л и ждал, до́лго ждал, и чем ти́ше был ме́сяц, тем сильне́е сту́кало его́ се́рдце, да́же бо́льно станови́лось. И всё тишина́. Вдруг послы́шался мгнове́нный сухо́й треск, как бу́дто слома́ли лучи́нку, и всё опя́ть за́мерло. Просну́вшаяся му́ха вдруг с налёта уда́рилась об стекло́ и жа́лобно зажужжа́ла. В са́мую э́ту мину́ту, в углу́, ме́жду ма́леньким шка́пом и окно́м, он разгляде́л как бу́дто вися́щий на стене́ сало́п. «Заче́м тут сало́п? — поду́мал он, — ведь его́ пре́жде не́ было...» Он подошёл потихо́ньку и догада́лся, что за сало́пом как бу́дто кто́-то пря́чется. Осторо́жно отвёл он руко́ю сало́п и увида́л, что тут стои́т стул, а на сту́ле в уголку́ сиди́т старушо́нка, вся скрю́чившись и наклони́в го́лову, так что он ника́к не мог разгляде́ть лица́, но э́то была́ она́. Он постоя́л над ней: «бои́тся!» — поду́мал он, тихо́нько вы́свободил из пе́тли топо́р и уда́рил стару́ху по те́мени, раз и друго́й. Но стра́нно: она́ да́же и не шевельну́лась от уда́ров, то́чно деревя́нная.　(第3部第6章)

モチーフ「月のやつ、謎をかけているんだ」

巨大な、円形をした、赤銅色に輝く月が窓からまっすぐに差し込んでいた。「月のせいでこんなに静かなんだ」ラスコーリニコフは思った。「確かにあの月のやつ、いま謎をかけてるんだ」彼は立ち尽くして、そのまま待った。月が静かであればあるほど、心臓がどきどきと強く打った。もう痛いほどだ。あたりは静まり返っていた。突然、一瞬、木のはぜる乾いた音が聞こえた。それは誰かが、木の枝を折るような音だった。そしてまたもやあたりは静まりかえった。目を覚ました蠅が一匹、突然に、窓ガラスにぶつかって、あわれっぽい羽音を立てる。ちょうどその時、隅の方で、小さな戸棚と窓の間に、壁につるされたコートらしいものが目に入った。「なんでコートが？」と彼は思った。「さっきはあんなもの、なかったじゃないか」彼はそっと近寄って行く。コートの向こうにどうやら誰かが隠れているらしい。注意深く片手を伸ばすと、コートを剥ぐ。見ると、そこには椅子が置いてあって、椅子の端っこに、あの老婆が腰掛けていた。全身をカギ型に折り曲げて、うつむいている。そのために、どうしても顔が見えない。しかし、あの老婆に違いなかった。ラスコーリニコフは彼女を見下ろすように立った。「怖がってやがるな」そう考えると、そっとループから斧を引き抜くや、老婆の頭めがけて、1回、2 回と打ち下ろした。だが奇妙なことに、打撃を受けても、まるで木造のように身動きひとつしない。

【単語】
разгляде́ть《完》見分ける、見分けようと熟視する（《不完》は разгля́дывать）（第12 課では不完了体であることに注意。「あれこれと」のニュアンス）скрю́чившись → скрю́читься《完》「カギ（крюч）状に腰を曲げる」（口語的）の副動詞 наклони́в → наклони́ть《完》「傾ける」の副動詞（《不完》は наклоня́ть）～го́лову うつむく так что そのために вы́свободить《完》引き抜く（《不完》は высвобожда́ть） пе́тля 紐で作った輪

【鑑賞の手引き】

♠「月」のイメジャリ研究

ロシア語には「月」を表す言葉は ме́сяц と луна́ がある。辞書では「луна́」という項目の最初に「満月 по́лная луна́」という用法が出て来るようにロシアの人々は「луна́」は丸い月を、「ме́сяц」は三日月を表すことが一般的だ。これは絶対的な区別ではない。いま読んでいる「月」は「ме́сяц」なのに丸い。「луна́」から 「夢遊病者 луна́тик」が派生するのは英語の lunatic（狂人）の場合と同じ。

♠大学の 400 人クラス「文化の境界 境界の文化」で、留学生たちに「月」の絵を描いてもらったことがある。カナダ、中国、韓国、トルコ、ロシアからの留学生は、共通して、丸い月は黄色がかった白、三日月は、銀色または白で描いてくれた。いま、この部屋に差し込むのは「赤銅色」である。ここには異常な事態が起こっている。

♠日本では中世の文学にも「赤い月」は「不吉」な徴として語られてきた（湯浅吉見「中世びとの月蝕観：『玉葉』と『吾妻鑑』の記事から見て」埼玉学園大学紀要、人間学部篇第 10 巻を参照）。

♠ラスコーリニコフの夢に出て来る「赤銅色の満月」とは、現代の天文学では、「皆既月食」現象と考えられる。地球の大気が太陽の光を屈折させ、月は真っ暗にはならず赤銅色に見えるのだ。

今後見られる皆既月食は以下のように予測されている。

●2021 年 5 月 26 日　日本全国で観測（西日本では月出帯食）、皆既は約 14 分間継続

●2022 年 11 月 8 日　日本全国で観測、月食中に天王星食も起きる

●2025 年 3 月 14 日　皆既月食だが、日本では北海道で部分食のみ見える

●2025 年 9 月 8 日　日本全国で観測、皆既は約 1 時間 24 分継続

（皆既月食については、「ライフパーク倉敷　倉敷科学センター」の HP (https://kurakagaku.jp/tokusyu/le2018_01/le4.html) を参照した）

2025 年 9 月 8 日から先の情報は書いていないが、その先の情報についてはご自身で書き込んでほしい。

♠この色を「血のような月」と読み替えると、浮かび上がってくるイメージがある。『ヨハネの黙示録』では、「そこで見ていると、見よ、青白い馬が出てきた。そして、それに乗っている者の名は「死」と言い、それに黄泉が従っていた。」という有名な言葉につづいて、「小羊が第六の封印を解いた時、わたしが見ていると、大地震が起って、太陽は毛織の荒布のように黒くなり、**月は全面、血のようになり**、天の星は、いちじくのまだ青い実が大風に揺られて振り落されるように、地に落ちた」（第 6 章 12－13 節）とある（太字強調は引用者）。血の色をした月は恐るべき日が来る前兆である。

『罪と罰』ではもう一度、黙示録が現れる。おそらく二つの夢はつながっており、それらは「恐るべき日が来る前兆」として読めるのではないか（第 24 課を参照）。

♠静寂を表すのに、「音」を使うのは効果的だ。音と静寂の描写が集中しているのもこの箇所の特徴だろう。

＊Вдруг послы́шался мгнове́нный сухо́й треск, как бу́дто слома́ли лучи́нку, и всё опя́ть за́мерло.

＊му́ха вдруг с налёта уда́рилась об стекло́ и жа́лобно зажужжа́ла
♠『ロシア語連想語辞典 Ру́сский ассоциати́вный слова́рь』2002.
というものでロシア人の連想を知ることが出来る。大学の 1 年生から 3 年生までの 11000 人の被験者に連想を尋ねて集計したもので、いま「жужжа́ние」をひいてみると пчела́（みつばち）、вуз（高等教育機関）、дрель（ドリル）、жук（甲虫）、му́ха（蠅）などについで цокоту́ха、俗語で「おしゃべりな女」という連想が強く働くという。

♠死の欲動
「フロイトに死の欲動を発見させたきっかけの一つは、第 1 次大戦後、反復強迫に苦しむ患者にたくさん出会ったことである。患者は夢で見たり、フラッシュバックしたりして、戦時の苦難に満ちた体験に繰り返し立ち返る。やめたくてもやめられない。だから私は「死の欲動」を次のように解釈している。人間は、自分の人生を、あるいは社会を、物語や歴史の形式で意味づけている。ところが物語や歴史の枠に収められない出来事がある。戦場で受けた衝撃などがそれだ。どうして、何のために私はあれほど恐ろしいことを経験しなくてはならなかったのか。納得のいく説明は不可能である」。
(フロイト「快感原則の彼岸」、大澤真幸によるフロイト読解、「朝日新聞」2018 年 6 月 9 日より、これはラスコーリニコフの「夢」を考えるために有効ではないか）。

【日本では】

萩原朔太郎（1886－1942）は『初めてドストイェフスキイを讀んだ頃』で次のように書いている。

「僕がドストイェフスキイを讀んだ頃は、丁度「白樺」の一派が活躍して、人道主義が一世を風靡した時代であつた。その白樺派の人たちは、トルストイとドストイェフスキイとを竝立させて、文學の二大神様のやうに崇拜して居た。僕がド氏の名を初めて知り、その作品を讀む機縁になつたのも、實は白樺派の人に教はつた爲であつた。しかしそれを讀んだ後に、僕は白樺派の文學論を輕蔑した。なぜならド氏の小説とトルストイとは、氣質的に全く對蹠する別物であり、一を好む者は他を好まず、他を愛する者は一を取らずといふほど、本質的にはつきりした宇宙の兩極であつたからだ。單に人道主義といふ如き感傷觀で、二者を無差別に崇拜する白樺派のヒロイズムは、僕にとつてあまり子供らしく淺薄に思はれた」。

『カラマゾフ』を先に読んだ、という。さらに、

「次に讀んだ本は「罪と罰」であつた。これにはまたカラマゾフ以上に感激させられた。主人公ラスコリニコフの心理と言行とが、小説の最初から大尾まで、魔法のやうに僕の心を引き捉へて居た。當時僕はニイチェを讀んで居たので、あの主人公の大學生が、ナポレオン的超人にならうとイデアした思想の哲學的心境がよく解り、一層意味深く讀み味へた。その讀後の深い印象から、僕はラスコリニコフを以て自ら氣取り、滑稽にもその小説的風貌を眞似たりした。夜は夜で、夢の中に老婆殺しの恐ろしい幻影を見た」（下線は引用者）。

第12課 ラスコーリニコフの夢 (2)

Он испуга́лся, нагну́лся бли́же и стал её разгля́дывать; но и она́ ещё ни́же нагну́ла го́лову. Он пригну́лся тогда́ совсе́м к по́лу и загляну́л ей сни́зу в лицо́, загляну́л и помертве́л: старушо́нка сиде́ла и смея́лась, — так и залива́лась ти́хим, неслы́шным сме́хом, из всех сил крепя́сь, чтоб он её не услы́шал. Вдруг ему́ показа́лось, что дверь из спа́льни чуть-чу́ть приотвори́лась и что там то́же как бу́дто засмея́лись и ше́пчутся. Бе́шенство одоле́ло его́: изо всей си́лы на́чал он бить стару́ху по голове́, но с ка́ждым уда́ром топора́ смех и ше́пот из спа́льни раздава́лись всё сильне́е и слышне́е, а старушо́нка так вся и колыха́лась от хо́хота. Он бро́сился бежа́ть, но вся прихо́жая уже́ полна́ люде́й, две́ри на ле́стнице отво́рены на́стежь, и на площа́дке, на ле́стнице и туда́ вниз — всё лю́ди, голова́ с голово́й, все смо́трят, — но все притаи́лись и ждут, молча́т... Се́рдце его́ стесни́лось, но́ги не дви́жутся, приросли́... Он хоте́л вскри́кнуть и — просну́лся.

(第3部第6章)

モチーフ「踊り場から下に向かう階段も、人で埋め尽くされ」

彼は肝をつぶして、近くに寄って、観察し始めた。しかし、老婆のほうも、もっと低くかがむのだ。彼はとうとう床までかがみ込むと、下から見上げて、凍り付いた。ばばあは座って、笑っていたのだ。彼には聞こえないように、全力をあげてこらえながら、静かに、声を忍ばせて笑いこけていた。と、不意に、寝室のドアがほんの少し開いて、あちらでも人々が笑い、ささやき声を立てているように感じられた。彼は狂暴な怒りにかられて、全力で老婆の頭をなぐりつけた。しかし斧で打てば打つほど寝室からの笑いとささやき声は、ますます大きくなり、ばばあはもう全身を揺らして笑っていた。彼は駆け出そうとしたが、玄関は人でいっぱいで、階段に向かうドアはいっぱいに開け放されて、踊り場も、そこから下に向かう階段も、人で埋め尽くされており、頭と頭が重なり合い、みんなが見ている。しかし、人々はお互い隠れあって、黙って、待っている... 胸が締めつけられ、足は根が生えたように動かない... 叫び声をあげようとしたところで——目が覚めた。

【単語】
сни́зу 下から так и どんどん、とめどなく、いきなり（など、多くの意味を伝えるので、注意が必要） залива́ться《不完》大声で笑う（《完》は зали́ться） крепя́сь → крепи́ться《不完》「我慢する」の副動詞 шепта́ться（шепчу́сь, ше́пчешься...）《不完》私語する、ひそかにささやき合う、こそこそうわさをする бе́шенство 狂暴、憤怒 одоле́ть《完》負かす、苦しめる всё сильне́е и слышне́е （всё + 比較級 = ますます） колыха́ться《不完》軽く揺れる хо́хот 大笑い（写音語） на́стежь いっぱいに開けはなされて стесни́ться《完》息苦しくなる дви́гаться（дви́жусь, дви́жешься...）《不完》動く（例 Но́ги не иду́т. 足が前に出ない） приросли́ → прирасти́ 《完》「根づく」の過去形（приро́с, приросло́）

【鑑賞の手引き】

私たちが第11課と第12課のテキストとして読んだ「ラスコーリニコフの夢」にはドストエフスキイの「カーニバル化」の主要な特徴が表れているとされる（М.М. Бахтин. 前掲書 стр.196-197.）。

ここではキーワードは原語を併記する。また原文で強調されているところ（隔字になっている）は下線で示す。

カーニバル化は外面的な、不動の図式ではなく、「芸術的なものの見方の極めて柔軟なフォルム необыча́йно ги́бкая фо́рма худо́жественного ви́дения」であり、「それまで見たことのない新しいもの но́вое и до сих пор неви́данное」の発見をさせてくれる。「交替と更新のパトスを伴った с её па́фосом смен и обновле́ний」カーニバル化は、ドストエフスキイに「人間および人間関係の最深層を見通すこと прони́кнуть в глуби́нные пласты́ челове́ка и челове́ческих отноше́ний」を可能にしたとして、バフチンは次の3つの視点から分析していく。

❶これはファンタスティックな夢の論理だ э́то фантасти́ческая ло́гика сна。

「空間も時間も存在と理性の法則も飛び越えて、ただ心が夢見ている地点にだけとどまるものなのだ перескáкиваешь чéрез простра́нство и вре́мя и че́рез зако́ны бытия́ рассу́дка и остана́вливаешься лишь на то́чках, о кото́рых гре́зит се́рдце」「この夢の論理が笑っている殺された老婆の姿を創造し、笑いと死および殺人とを結合することを可能にしたのである。Э́то ло́гика сна и позволи́ла здесь созда́ть о́браз смею́щейся и уби́той стару́хи, сочета́ть смех со сме́ртью и уби́йством.」

ドストエフスキイにおける笑う老婆の形象は、プーシキンにおける棺桶の中でウィンクする老伯爵夫人や、トランプ札の上でウィンクするスペードの女王の形象の相似物である（ちなみにスペードの女王は、老伯爵夫人のカーニバルタイプの分身 карнава́льного ти́па двойни́к である）。この二つの作品では、ナポレオン主義 наполеони́зм という基本的イデエが一致しており、これら二つの空想的な形象（笑っている死んだ老婆）が現れるきっかけも、プーシキンでは狂気 безу́мие、ドストエフスキイでは昏睡 бредово́й сон というように、相似しているのである。

❷ラスコーリニコフの夢では、笑っているのは殺された老婆だけではなく、誰かがどこか向こうの方の寝室で笑っていて、しかもその笑い声はますますはっきり聞こえるようになっていく。それから群衆が、大勢の人々が「階段にも、その下のほうにも на ле́стнице и внизу́」姿を現し、この階段の「下方 сни́зу」を往来する群衆に対して、彼は「階段の上方に наверху́ ле́стницы」いる。ここにあるのは、カーニバルの僭称が、奪還をもくろむ群衆に広場で嘲笑されている図である。

❸ラスコーリニコフの夢の空間は、カーニバルのシンボル体系に通じる補足的な意味合いを与えられている。「上階、下層、階段、敷居、玄関、踊り場 верх, низ, ле́стница, поро́г, прихо́жая, площа́дка」は「点 то́чка」の意味を与えられており、そこで根本的な交替、予期しない運命の変転が生じ、決断がくだされ、「禁断の

境界線が踏み越えられ復活か、それとも破滅かが起こる переступ́ают з́апретную черт́у, обновл́яются ́или ѓибнут」。

カーニバルの文化史的展望については、第 18 課の【観賞の手引き】を参照されたい。

【日本では】

最近、「ドストエフスキイと日本マンガ」と題する山元伸哲の論文を読んだ。

最も現代的な表現ジャンルにおけるドストエフスキイの影響について論じたもので、書き手は法政大学ロシア研究会のメンバーの一人。冒頭の一節は次のように書かれている。

「なぜ日本人はキリスト教の理解を欠いているにもかかわらずドストエフスキーが好きなのか？　なぜ数あるドストエフスキー作品のなかで『罪と罰』がもっとも多く漫画化されているのか？　その漫画作品を取り上げて紹介するとともに、簡単な批評を加えることで、これらの問題に対する答えを見つけられるのではないか。それがこの文章の目的である」。

取り上げられているのは以下の諸作品である。

手塚治虫『罪と罰』(1953 年)

青木雄二『青木雄二漫画短編集』(2002 年)

大島弓子『ロジオン・ロマーヌィチ・ラスコーリニコフ』(1976 年)

汐見朝子『罪と罰　正義か犯罪か』(2002 年)

バラエティ・アートワークス〈『罪と罰　まんがで読破』(2007 年〉

落合尚之『罪と罰』(2011 年)

岩下博美『罪と罰　マンガで読む名作』(2010 年)

漫 F 画太郎『罪と罰』(2013 年)

山元氏は「ところで漫画版『罪と罰』の中で、カチェリーナ・イワーノヴナにいわせると「道化みたいな連中」が集まって飲み食いするマルメラードフの法事の場面を描いている作品は手塚治虫・汐見朝子・大島弓子の 3 つである。この中でも手塚によるものは特に素晴らしく、原作のカーニヴァル性が最もよく表現されている。手塚は「笑い」を重視しており作品の中にもしばしば見ることができる。笑いのセンスに長けていた彼は原作のカーニヴァル的空間を鋭敏に感じ取っていたのであろう。本作は漫画版『罪と罰』の先駆けであり、他の漫画家も執筆の際に参照していたようである」と書いている。(BOCTOK, 2)

ここではマルメラードフの法事の場面が扱われているが、手塚治虫の『罪と罰』の最終ページは「広場のカーニバル」を見事に漫画化していると思われる。

第13課　スヴィドリガイロフの登場

—Я не ве́рю в бу́дущую жизнь, — сказа́л Раско́льников.

Свидрига́йлов сиде́л в заду́мчивости.

— А что, е́сли там одни́ пауки́ и́ли что́-нибудь в э́том ро́де, — сказа́л он вдруг.

«Э́то поме́шанный», — поду́мал Раско́льников.

— Нам вот всё представля́ется ве́чность как иде́я, кото́рую поня́ть нельзя́, что́-то огро́мное, огро́мное! Да почему́ же непреме́нно огро́мное? И вдруг, вме́сто всего́ э́того, предста́вьте себе́, бу́дет там одна́ ко́мнатка, э́дак в ро́де дереве́нской ба́ни, закопте́лая, а по всем угла́м пауки́, и вот и вся ве́чность. Мне, зна́ете, в э́том ро́де иногда́ мере́щится.

— И неуже́ли, неуже́ли вам ничего́ не представля́ется утеши́тельнее и справедли́вее э́того! — с боле́зненным чу́вством вскри́кнул Раско́льников.

— Справедли́вее? А почём знать, мо́жет быть, э́то и есть справедли́вое, и зна́ете, я бы так непреме́нно наро́чно сде́лал! — отве́тил Свидрига́йлов, неопределённо улыба́ясь.

(第4部第1章)

【単語】
в э́том ро́де その種のもの поме́шанный 狂気の（名詞として）狂人 э́дак = э́так = приблизи́тельно 大体 дереве́нская ба́ня 田舎の風呂場 закопте́лый 煤だらけの утеши́тельнее「慰めをあたえるような」の比較級 справедли́вее「正しい」の比較級 э́того「これ」の生格（比較級で、比較の対象は生格） почём знать どうして知ろうか（俗語） бы（動詞の過去形とともに接続法をなし、仮定、希望、控えめな要請などを表す）(例 Он бы пришёл または Он пришёл бы, если бы был здоро́в 健康だったら彼は来る（来た）だろうが)

モチーフ「田舎の風呂場の隅に蜘蛛が」

「ぼくは未来なんか信じちゃいない」とラスコーリニコフは言った。

スヴィドリガイロフは腰を下ろしたまま、もの思いに沈んでいた。

「ところが、そこには、ただ蜘蛛か、何か、その種のものしかいないとしたら、どうです？」突然彼は言い出した。

《こいつ、狂ってやがるな》ラスコーリニコフは思った。

「いつも、ほら、永遠というものは理解不能の理想のように、とんでもなく、巨大なるものとして思い浮かんできますな。ところがいったいなぜ巨大なるものでなくてはならんのです？ ところがどうして、そんないっさいのもののかわりに、なにかこう田舎の風呂場みたいなものがあって、煤だらけで、隅はすべて蜘蛛の巣がかかっている。永遠ってもののいっさいがこんなものだったらどうです？　お分かりかな、その種のものが、時折りわたしの心に浮かぶんですな」

「いったいあなたには、もっとなぐさめられるような、正しいことは浮かばないんですか？」病的な感覚にかられてラスコーリニコフは叫び声をあげた。

「もっと正しいもの、ですと？ ところが、正しいものとはほかならぬこれだったら、どうします？　それに、わたしはわざとでもぜひそうしたいんですよ！」スヴィドリガイロフはあいまいな笑いを浮かべて言った。

◆「無（『無意味なもの』）が永遠に！」をどう読むか？

ニーチェによる『悪霊』からの抜き書きは『権力への意志』(1900 年)と『アンチ・クリスト』のメモとならんで行われている。『権力への意志』の最初に「ニヒリズムとは何を意味するのか？── 至高の諸価値がその価値を剥奪されるということ。目標が欠けている。『何のために』への答えが欠けている」とある。続いてニーチェは「宇宙論的諸価値の崩落」と題して＜目的と意味＞＜統一＞＜真理＞を検討し、世界は「これら３つの範疇ではもはや解釈しえないということ」を明らかにする。「生成でもっては何ものもめざされておらず、何ものも達成されない」。

そして少し先に「永遠回帰」が語られる。「私たちはこの思想をその最も怖るべき形式で考えてみよう。すなわち意味や目的はないが、しかし無の内への１つの終局をもたずに不可避的に回帰しつつあるところの、あるがままの生存、すなわち『永遠回帰』。これがニヒリズムの極限的形式である。すなわち無（『無意味なもの』）が永遠に！」「どこまで事物のうちの意味なしでいられうるか、どこまで無意味な世界のうちで生き耐えられるかが、意志力の測度器である」（井桁貞義『ドストエフスキイ』清水書院、1980 年、182-183 ページ）。

【鑑賞の手引き】キーワードによる作品の構想の分析

●справедли́вость（正しさ、正義）という語はこの小説の鍵になる言葉の一つで、登場人物たちが справедли́вость を求めている様が浮かび上がる。

①1 か月半前に初めて老婆を訪れた帰り、ラスコーリニコフの頭になかには奇妙な考えが浮かんでいた。ちょうど、隣のテーブルで学生と将校が話している。

「ひとつの死とそれとひきかえに、百の生だ。これは算術だぜ！（...）自分でやるかと言われれば、僕は справедли́вость のために言ってるんだぜ」

② ラスコーリニコフはソーニャに対して言う。

「だって、もう頭からまっさかさまに水に飛びこんで、いっぺんに終わらせちまったほうが справедли́вость じゃないか！」

③ ソーニャはカチェリーナ・イワーノヴナについて言う。

「あの人は справедли́вость を探しているんです。あの人は чи́стый な人です。すべてに справедли́вость があるべきだと信じて、そして要求しています。あの人をどんなに苦しめたところで、несправедли́вое なことはしないでしょう」

④ カチェリーナ・イワーノヴナは神に問いかける。

「神よ！」彼女は不意に目を輝かせて叫んだ。「いったい本当に справедли́вость はないんでしょうか！もし私たちを、孤児を守らなければあなたは誰を守るというのですか？さあ、見てみよう！この地上に на све́те 裁きと真実はある。私はそれを探し出そう」。

⑤ ラスコーリニコフとカチェリーナの 2 つの справедли́вость に対してソーニャの考えはこうだ。

「人々のあいだ в лю́дях ではすべてが справедли́во なんてあり得ない」

⑥ ラスコーリニコフはソーニャに尋ねる。

「おまえはリザヴェータと友達だったの？」

「ええ、あの人は справедли́вая でした。（...）あの人は神を見るであろう。Она́ у́зрит Бо́га.」

⑦ もう終わった人間ポルフィーリイがラスコーリニコフに言う台詞の中にも справедли́вость という言葉がふくまれる。

⑧ この課で姿を現すスヴィドリガイロフの台詞にも справедли́вее が含まれる。

●同様の分析を「新しい но́вый」という語について行ってみる。

① 老婆の家の下見の帰りにラスコーリニコフは「新しい」出会いを渇望する

Что́-то в нём как бы <u>но́вое</u>, и вме́сте с тем ощути́лась кака́я-то жа́жда люде́й.

② 母の手紙を読んだあとで тепе́рь яви́лась вдруг не мечто́й, а в како́м-то <u>но́вом</u>, гро́зном и совсе́м незнако́мом ему́ ви́де,...

③ 警察の呼び出しに応じる

С ним соверша́лось что́-то соверше́нно ему́ незнако́мое, <u>но́вое</u>, внеза́пное и никогда́ не быва́лое.

④ ラズミーヒンのところへ行く時

Вдруг он останови́лся; <u>но́вый</u>, соверше́нно неожи́данный и чрезвыча́йно просто́й вопро́с ра́зом сбил его́ с толку́.

⑤ ソーニャのところへ出かけていく時

Он сходи́л ти́хо, не торопя́сь, весь в лихора́дке, и не сознава́я, того́, по́лный одного́, <u>но́вого,</u> необъя́тного ощуще́ния вдруг прихлы́нувшей по́лной и могу́чей жи́зни.

⑥ ソーニャとの第1の晩。

С <u>но́вым</u>, стра́нным, почти́ боле́зненным, чу́вством всма́тривался он в э́то бле́дное, худо́е и непра́вильное углова́тое ли́чико,

⑦ スヴィドリガイロフの謎めいた言葉の後で（この課のテクスト）

<u>Но несмотря́ на то что э́тот но́вый факт чрезвыча́йно его́ беспоко́ил</u>.

⑧ ポルフィーリイに会ったあとで

Раско́льников почу́вствовал прили́в како́го-то <u>но́вого</u> испу́га.

『罪と罰』の世界では、「新しい」という語の使用は限定的である。1回だけの例外を除くと、この語は「引きこもってしまった」ラスコーリニコフがたくさんの初めての人と出会い、「新しい」世界を知っていく時に使われることが分かる。ラスコーリニコフを中心とする梯子段を登って高みに至る更生に対して、ここに現れたのは、「無意味なものが永遠に」という異質な時間感覚をもつ主人公だ。ソーニャの愛によって《救済》されるラスコーリニコフとカミュの『異邦人』ムルソー、カフカの『城』のK、ナボコフの『恐怖』の、また安部公房の『砂の女』に捕われる主人公と、20 世紀に登場した主人公たちと、どちらに共感を覚えるだろうか？ ポリフォニーでは《希望》と《絶望》は等価に響く。

【日本では】

「私達が、いま、この、《のっぺらぼう》について気づいていることは、けれども、僅かとはいえ、すでにいくつか、ある。時を静止せしめたドストエフスキイがふとかいまみたところのぼんやりとした死人の顔のような気味の悪い印象が、まず、そのひとつである。彼は、自然とか永遠とかを、キリストを無造作に飲みこんでしまうもの言わぬ巨大な獣とか、何処か、田舎の忘れられた風呂場に架かった蜘蛛の巣とかいうふうに腹立たし気に述べているが、それは、彼がかいま見た、《のっぺらぼう》を十分に表現し得ない苛だちから生まれたある種の情熱の象形化といった風に解釈できないこともないのである」（埴谷雄高「存在と非在とのっぺらぼう」『思想』1958 年 7 月号）。

第 14 課 若者たち

Да я сам зна́ю, и в та́йне храню́, сочине́ния два-три таки́х, что за одну́ то́лько мысль переве́сть и изда́ть их мо́жно рубле́й по́ сту взять за ка́ждую кни́гу, а за одну́ из них я и пятисо́т рубле́й за мысль не возьму́. И что вы ду́маете, сообщи́ я кому́, пожа́луй, ещё усумни́тся, тако́е дубьё! А уж насчёт со́бственно хлопо́т по дела́м, типогра́фий, бума́ги, прода́жи, э́то вы мне пору́чите! Все закоу́лки зна́ю! Помале́ньку начнём, до большо́го дойдём, по кра́йней ме́ре прoко́рмиться чем бу́дет, и уж во вся́ком слу́чае своё вернём.

У Ду́ни глаза́ блесте́ли.

— То, что вы говори́те, мне о́чень нра́вится, Дми́трий Проко́фьич, — сказа́ла она́.

— Я тут, коне́чно, ничего́ не зна́ю, — отозвала́сь Пульхе́рия Алекса́ндровна, — мо́жет, оно́ и хорошо́, да опя́ть ведь и Бог зна́ет. Но́во как-то, неизве́стно. Коне́чно, нам оста́ться здесь необходи́мо, хоть на не́которое вре́мя...

Она́ посмотре́ла на Ро́дю.

— Как ты ду́маешь, брат? — сказа́ла Ду́ня.

— Я ду́маю, что у него́ о́чень хоро́шая мысль, отве́тил он. — О фи́рме, разуме́ется, мечта́ть зара́нее не на́до, но пять-шесть книг действи́тельно мо́жно изда́ть с несомне́нным успе́хом. Я и сам зна́ю одно́ сочине́ние, кото́рое непреме́нно пойдёт. А что каса́ется до того́, что он суме́ет повести́ де́ло, так в э́том нет и сомне́ния: — де́ло смы́слит... Впро́чем, бу́дет ещё вре́мя вам сговори́ться...

— Ура́! Закрича́л Разуми́хин, 〈...〉 (第 4 部第 3 章)

「そう、僕自身そういう本を2，3冊、あったためてる。翻訳して出版するというアイディアだけでも、どれも 100 ルーブルほどにはなるね。そのうちの 1 冊なんか、アイディアだけで 500 ルーブル出すと言われたって、僕は「うん」とは言わないね。ところがね、僕が誰かに伝えたとしても、疑ってかかるんだ。まったく馬鹿ばっかりさ！　さて、実務的な仕事の方は、印刷所や紙の手配、販売なんかがあるけど、それは僕に任せてください！　あらゆる裏道をご存じだ！ 少しずつ始めて、そのうち大きくすればいい。少なくとも、食っていくだけは稼げるさ。どっちにしろ、元は取れる。」

ドゥーニャの目はきらきらと輝いていた。

「あなたのおっしゃるお話は私はたいへん素敵に感じましたわ、ドミートリイ・プロコーフィチ様」と彼女は言った。

「もちろん、わたしはそっちの方はちっとも知りませんが」プリヘーリア・アレクサンドロヴナが考えを口にした。「きっと、良いお話と思いますね。けれど、これも神様だけがご存知ですよ。なんだか新しい、よくわからないことですからねえ。もちろんこちらに残らなくてはならないし。しばらくの間でも...」

彼女はロージャに視線を走らせた。

「あなたはどう思う、兄さん？」とドゥーニャが言った。

「とっても良いアイディアだと思うよ」彼は答えた。「会社を立ち上げることについては、言うまでも無く、最初から夢見ることはないけれど、5，6 冊の本なら、じっさい出版しても間違いなく成功すると思う。僕自身も 1 冊、間違いなく売れるという本を知ってる。それにこの男が事業を取り仕切って行く能力があることは疑問の余地はない。機微に通じてるからね。ともあれ、君たちには話し合う時間はたっぷりある...

「やったぜ！」ラズミーヒンは叫び声を上げた。〈...〉

【単語】

сохраня́ть что в та́йне 秘密にしておく　храня́ → храни́ть《不完》「保存しておく」の副動詞　мысль 思想、思い付き、アイディア　переве́сть = перевести́《完》翻訳する　рубле́й по́ сту 100 ルーブルずつくらいは（по́ сту рубле́й の数字と名詞の倒置された形 → 概数）усумни́тся = усомни́ться《完》疑惑を抱く дубьё 馬鹿者ども（集合名詞、罵りの言葉）насчёт + 生格 に関しては со́бственно もっぱら хлопо́т → хло́поты 奔走、面倒、骨折り（複数形で用いられる）по дела́м いろいろな仕事で типогра́фия 印刷所　бума́га 紙　прода́жа 販売　поручи́ть + 与格《完》委任する（《不完》は поруча́ть）　закоу́лки → закоу́лок = небольшо́й, глухо́й переу́лок 細い人気のない小路　по кра́йней ме́ре 少なくとも　блесте́ть《不完》輝く、光る（文語）（《完》は блесну́ть）　отозва́ться《完》自分の考えや評価を述べる（《不完》は отзыва́ться、= выска́зывать своё мне́ние, оце́нку）　что каса́ется до того́,что~ 以下のことに関しては сме́ет → сметь《不完》敢えてする、敢行する（《完》は посме́ть）　повести́《完》連れて行く、行う、処理する、営む（《不完》は вести́）　ура́ 万歳（ここでは若者たちの会話なのであえて「やったぜ」と訳した）

【鑑賞の手引き】

♠この課で話し合われていることの背景には、ロシアの出版界の革命的変化がある。次の表を見てみよう。

分厚い雑誌の総部数	1860 年	3 万部	1900 年	9 万部
新聞	1860 年	6.5 万部	1900 年	90 万部
絵入り雑誌	1870 年代末	10 万部	1900 年	約 50 万部
ロシア語の書籍	1887 年	1850 万部	1901 年	5630 万部

これにつれて全国の書店の数は

1868 年 568 店　1883 年 1377 店　1893 年 1725 店

（出典：レイトブラト『ボーバからバリモントへ』）

♠関連して、識字率の変化も見ておこう。

農奴解放直後には 7 パーセントに過ぎなかったが、1897 年のセンサスでは 21.1 パーセントに上昇している。男女別では

男性　29.3 パーセント

女性　13.1 パーセント

という。

♠併せて、主要文芸誌の発行部数のデータも示しておく。

	1862 年	1869 年	1877 年	1885 年	1900 年頃
現代人	6658				
祖国雑記	4500	4613	9929		
時代	4350				
読書文庫	3500				
ロシア報知	6100				
ヨーロッパ報知		5277	6179	5612	7000
事業		2987	4704		
ロシア思想					10000

（出典：ブロックハウス・エフロン百科辞典）

◆ドストエフスキイ兄弟が出版していた『時代』誌が、同時代の雑誌のうちでは健闘していたことが分かる（この項目は前掲書『はじめて学ぶロシア文学史』の第 13 章（浦雅春氏担当）によっている）。

♠翻訳出版の時代＝日本の明治時代を思わせる

『罪と罰』冒頭のマルメラードフの酒場での物語に、ソーニャがイギリスのルイスの『生理学』という本を借りて来て、家族に読んで聞かせた、とい

うことが語られている。第10課でナポレオン3世の書いた『ジュリアス・シーザー伝』がロシアでも流行したことを取り上げたが、当時のロシアでは、日本の明治期のように、西欧の文化を追いかけている有様が伺える。ルソーの『告白』も、出版の運びだ。レベジャートニコフがコブイリャトニク夫人に届けたという『実証的方法概論』も実際に1866年に出版された論文集で、ドイツの作家ピデリットとドイツの経済学者ワグナーの論文が収められている。

【日本では】

いま日本では「ロシアの女性誌」の研究が開始されている。

高柳聡子氏の『ロシアの女性誌　時代を映す女たち』(群像社、2018年)によると、『罪と罰』が発表されたころ「歴史的な文学隆盛の波のなかで、女性誌においても、より文学性の高いものが出版されるようになっていく。‹…›なかでも『夜明け』は「女子のための科学・芸術・文学の雑誌」という副題を持ち、その名の通り、文学から自然科学までの多岐にわたる教養を女性たちに与えようという教育的な雑誌だった。‹…› 読者としては十代の少女から、その母親や教師の世代までを視野に入れて編集を行い、雑誌は着実に読者数を増やしていった」という。

1980年に、正教思想にもとづいたフェミニズム雑誌『マリア』が創られた。その第1号の冒頭に「アピール」がおかれているという。

「ロシアには今こそ新しい女性が誕生すべきだ — 自由で自立してはいるが、その自由をそばにいる者の害になるように使うのではなく、創造的な情熱の発露へと変える女性、自身の高尚な課題を悟る前に立ち上がり、時代の痛みを自分自身の痛みとして認識し、他人の苦しみを自分の運命とすることのできる女性が」。

彼女たちがアピールに書いているのは、「女性たちの最大の武器は「愛」であり、神が女性に与えた能力とは、愛すること、そして愛のために犠牲となることである」という。この「アピール」は『罪と罰』のソーニャの生き方に通じるものがあるように思われる、と高柳氏は言う。不思議な一致である。接点があるのだろうか？ 楽しみな研究である。

第15課 ソーニャとの第1の晩(1)

— Вы говори́те, у Катери́ны Ива́новны ум меша́ется; у вас само́й ум меша́ется, — проговори́л он по́сле не́которого молча́ния.

Прошло́ мину́т пять. Он всё ходи́л взад и вперёд, мо́лча и не взгля́дывая на неё. Наконе́ц подошёл к ней; глаза́ его́ сверка́ли. Он взял её обе́ими рука́ми за пле́чи и пря́мо посмотре́л в её пла́чущее лицо́. Взгляд его́ был сухо́й, воспалённый, о́стрый, гу́бы его́ си́льно вздра́гивали... Вдруг он весь бы́стро наклони́лся и, припа́в к по́лу, поцелова́л её но́гу. Со́ня в у́жасе от него́ отшатну́лась, как от сумасше́дшего. И действи́тельно, он смотре́л как совсе́м сумасше́дший.

— Что вы, что вы э́то? Пе́редо мной! — пробормота́ла она́, побледне́в, и бо́льно-бо́льно сжа́ло вдруг ей се́рдце.

Он то́тчас же встал.

— Я не тебе́ поклони́лся, я всему́ страда́нию челове́ческому поклони́лся, — ка́к-то ди́ко произнёс он и отошёл к окну́. — Слу́шай, — приба́вил он, вороти́вшись к ней че́рез мину́ту, — я да́веча сказа́л одному́ оби́дчику, что он не сто́ит одного́ твоего́ мизи́нца... и что я мое́й сестре́ сде́лал сего́дня честь, посади́в её ря́дом с тобо́ю.

— Ах, что вы э́то им сказа́ли! И при ней? — испу́ганно вскри́кнула Со́ня, — сиде́ть со мной! Честь! Да ведь я... бесче́стная... я вели́кая, вели́кая гре́шница! Ах, что вы э́то сказа́ли!

(第4部第4章)

【単語】

меша́ться《不完》精神が錯乱する　само́й → сама́「自身」（女性）の生格　мо́лча 黙って（副詞）взгля́дывая → взгля́дывать《不完》「ちらちらっと見る」の副動詞　обе́ими → о́ба 両方（の）（о́ба, о́бе と結ぶ名詞は単数生格となる。о́ба, о́бе それ自体が主格やそれに準ずる対格以外の他の格の場合は、名詞と数、格が一致する。例 обе́ими рука́ми 両手で(造格)）

「あなたはカチェリーナ・イワーノヴナの頭がおかしいと言われますが、あなた自身、おかしいですよ」少しの沈黙のあとで彼は言った。

5 分ほどが過ぎた。彼は黙ったまま、彼女のほうを見ることもなく、ずっと行ったり来たりしていた。そうしてとうとう彼女の方に近寄った。その目は輝いていた。彼は両手で両方の肩をつかんで、彼女の泣いている顔を正面から見つめた。彼の視線は乾いて、燃え上がり、鋭く、唇はひどく震えていた… 突然、彼は全身をかがめると、床に突っ伏して、彼女の片足にキスした。ソーニャは怯え上がって、彼から飛び退いた。狂人から身をよけるように。そしてじっさい彼はすっかり気が触れているような視線を送っていた。

「あなたはどうなさったんです？ わたしなんかの前で！…」彼女はまっさおになって口のなかで呟くように言った。とつぜんソーニャの胸が痛いほど締め付けられた。

彼はすぐに起き上がった。

「ぼくはきみにひざまずいたんじゃない。人類のすべての苦しみのまえにひざまずいたんだ。」 なんだか粗野な調子でこう言うと、窓のほうへ離れて行った。「お聞き」すぐ戻って来ると言い足した。「さっき、ある無礼者に、お前の小指にも値しないと言ってやった。それから今日ぼくの妹に同席する名誉をあたえた、ということも」

「まあ、あなたはなんということをおっしゃったのです！ それも妹さんの前で」彼女は驚いて叫び声をあげた。「わたしと同席だなんて！ 名誉なんて！ だってわたしは名誉などない… わたしは罪深い、大きな罪のある女なんです！ああ、あなたはなんということをおっしゃったのです！」

【単語】

плéчи → плечó 肩 воспалённый → воспали́ть《完》「燃え上がる」の被動形動詞過去(文語)(《不完》は воспаля́ть) наклони́ться 《完》かがむ(над кни́гой 本にかがみこむ) сверкáть 《不完》光り輝く(《完》は сверкну́ть) припáв → припáсть《完》「伏せる、倒れ掛かる」の副動詞(《不完》は припадáть)(例 к ногáм ひれ伏す) отшатну́ться 《完》飛びのく сумасшéдший 狂気の、(名詞として)狂人 пробормотáть 《完》 = сказáть бы́стро и невня́тно, произнести́ бормочá 早口で不明瞭に言う(口語的) побледнéв → побледнéть 《完》「蒼白になる」の副動詞 сжать 《完》締め付ける(《不完》は сжмать) ей 彼女を(全体を表す与格+その具体的な部分を対格で表す。例文 Он крéпко сжал ру́ку.) поклони́ться 《完》お辞儀をする(ру́сский поклóн は日本の「お辞儀」とは違い、大地にひれ伏す) ди́ко 野蛮な、荒れた(訳すのが難しい。日本の文化にはない種類の野蛮を表わす) вороти́вшись → вороти́ться 《完》「戻る、帰る」の副動詞(《不完》は ворочáться) оби́дчик 侮辱するひと не стóит одногó твоегó мизи́нца きみの小指一本にも値しない

【鑑賞の手引き】

これまでも触れる機会があった「あなた **вы**」で話すか「きみ、おまえ **ты**」で話すかという問題に絞って、ここで少しまとめてみたい。

当時のロシアでは大学生の数は少なく、「その存在がきわめてまれなエリート、社会を指導すべき知識人であったことがわかる。ドストエフスキイは『罪と罰』でこの超エリートに殺人という罪を犯させたわけである」（前掲書『はじめて学ぶロシア文学史』248 ページ）。ソーニャは第 4 部第 4 章では一貫して **вы** で話しかける。ラスコーリニコフはソーニャの部屋を初めて訪れる。ラスコーリニコフはいつ **вы** から **ты** へ転換するだろうか？　特にソーニャとラスコーリニコフが言葉を交わす部分を抜粋して観察する（30 巻本全集第 6 巻 241 ページ第 4 部第 4 章より抜粋を開始して、第 15 課のテキストである 246 ページに至る。ラスコーリニコフの **вы** から **ты** への変化をみていこう）。

第 4 部第 3 章

ソーニャの言葉　⇔　ラスコーリニコフの問いかけ

Кто тут？「そこにいるのは誰？」

Э́то я к **вам**.「僕だよ、あなたのところへ」

Э́то **вы**? Го́споди!.「あなたなんですか、ああ」

Куда́ к **вам**? Сюда́?「どっちだい？こっち？」

Поста́вила све́чку ロウソクをたてた。

Я по́здно...Оди́ннадцать часо́в есть?「もう 11 時だ？」

Есть...Ах да, Есть.「ええ、11 時を過ぎてます」

Я к **вам** в после́дний раз пришёл.
「あなたのところにはこれが最後だ」

Вы...е́дете?「あなたは...ご出発？」

Что ж **вы** сто́йте? Ся́д**ьте**.
「どうして立っているの、おかけ下さい」

Она́ се́ла.　腰を下ろす

Кака́я **вы** ху́денькая. Вон кака́я у **вас** рука́!
「あなたはなんてやせて、手なんかこんなだ」

Он взял её ру́ку.　彼女の手を取る

Э́то **вы** от Каперна́умова нанима́ете?
「この部屋をカペルナウーモフから借りているんですね」

Да-с...「さようでございます」

Я бы в **ва́шей** ко́мнате по ноча́м боя́лся.
「僕だったら毎晩うなされそうだ」

А **вы** отку́да про них зна́ете,「あなたはどうしてそれを！」

Мне **ваш** оте́ц всё тогда́ рассказа́л.
「あなたの父が話してくれた」

Он мне всё про **вас** рассказа́л.
「お父さんはあなたについて何もかも話してくれたよ」

Я его́ то́чно сего́дня ви́дела.「私は今日も姿を見かけたところです」

Кого́?「誰を？」

Отца́.「父を」

Вы гуля́ли?「あなたは道を流していた？」

Да,「ええ」

Катери́на Ива́новна ведь **вас** чуть не би́ла, у отца́-то?
「カチェリーナ・イワーノヴナはあなたをひっぱたいていたそうじゃないか」

Ах нет, что **вы**. что **вы**, э́то, нет!「ああ違います。あなたは何てことを！」

Так **вы** её лю́бите?「お母さんを愛している？」

Её? Да ка́-а-ак же! Ах! **Вы** её...
Вы ничего́, ничего́ не зна́ете.. Ах!
Би́ла! Да что **вы** э́то! **Вы** ничего́, ничего́ не зна́ете...
「あの人を！もちろんよ。あなたは何にもわからない。ひっぱたくなんて！」

А с **ва́ми** что бу́дет,「あなたはこれからどうなるんだろう」

Ох, нет! Бог э́того не попусти́т!「神様はそんなことはお許しにならない」

Прошло́ с мину́ту. Со́ня стоя́ла, опусти́в и го́лову, в стра́шной тоске́.
1分ほどが過ぎた。ソーニャは立っていた。顔を伏せ、恐ろしい憂悶に襲われていた。

С По́лечкой, наве́рно, то же са́мое бу́дет
「ポーレチカの身にもきっと同じことが起こるよ」

Нет! Нет! Не мо́жет быть, нет!
Нет, нет! Её Бог защити́т, Бог!「ポーレチカは神様が守って下さいます」

Да, мо́жет, и Бо́га-то совсе́м нет.
「だけど神様なんて、すっかりいないかもしれない」

この問答の後、5分ほどのあいだの沈黙ののち、ラスコーリニコフはソーニャにひざまづく。

Я не **тебе́** поклони́лся, я всему́ страда́нию челове́ческому поклони́лся.

♠「私は罪びとです」

1980年3月7日、バフチンの命日に、芸術家たちが多く住むという旧いモスクワのアパートに十数人が集まってマースレニツァの時に食べるブリヌィを囲んだ。バフチンの臨終に際して彼の最後の言葉「主よ、我らは皆、罪深い者 гре́шник です」を書きとめた女性も来ていて、「あの人は何に罪ありと考えていたのだろう？」という議論になった。私は議論を聞きながら、彼はキリスト者として神の前に立ったのだろうと考えていた。

【日本では】

村上春樹（1949－）はいろいろな作品でドストエフスキイの名前を挙げている。『かえるくん、東京を救う』（1999年）では次のように言っている。

「フョードル・ドストエフスキーは神に見捨てられた人々をこのうえなく優しく描き出しました。神を作り出した人間が、その神に見捨てられるという凄絶なパラドックスの中に、彼は人間存在の尊さを見いだしたのです。ぼくは闇の中でみみずくんと闘いながら、ドストエフスキーの『白夜』のことをふと思いだしました。ぼくは...」

第16課　ソーニャとの第１の晩(2)

— Так ты о́чень мо́лишься Бо́гу-то, Со́ня? — спроси́л он её.

Со́ня молча́ла, он стоя́л по́дле неё и ждал отве́та. — Что ж бы я без Бо́га-то была́? — бы́стро, энерги́чески прошепта́ла она́, мелько́м вски́нув на него́ вдруг засверка́вшими глаза́ми, и кре́пко сти́снула руко́й его́ ру́ку.

«Ну, так и есть!» — поду́мал он.

— А тебе́ Бог что за это де́лает? — спроси́л он, выпы́тывая да́льше.

Со́ня до́лго молча́ла, как бы не могла́ отвечать. Сла́бенькая грудь её вся колыха́лась от волне́ния.

— Молчи́те! Не спра́шивайте! Вы не сто́ите!.. — вскри́кнула она́ вдруг, стро́го и гне́вно смотря́ на не́го.

«Так и есть! так и есть!» — повторя́л он насто́йчиво про себя́.

— Всё де́лает! — бы́стро прошепта́ла она́, опя́ть потупи́вшись.

«Вот и исхо́д! Вот и объясне́ние исхо́да!» — реши́л он про себя́, с жа́дным любопы́тством рассма́тривая её.

С но́вым, стра́нным, почти́ болéзненным, чу́вством всма́тривался он в э́то бле́дное, худо́е и непра́вильное углова́тое ли́чико, в э́ти кро́ткие голубы́е глаза́, могу́щие сверка́ть таки́м огнём, таки́м суро́вым энерги́ческим чу́вством, в э́то ма́ленькое те́ло, ещё дрожа́вшее от негодова́ния и гне́ва, и всё это каза́лось ему́ бо́лее и бо́лее стра́нным, почти́ невозмо́жным. «Юро́дивая! юро́дивая!» — тверди́л он про себя́.

На комо́де лежа́ла кака́я-то кни́га. Он ка́ждый раз, проходя́ взад и вперёд, замеча́л её; тепе́рь же взял и посмотре́л. Э́то был Но́вый заве́т в ру́сском перево́де. Кни́га была́ ста́рая, поде́ржанная, в ко́жаном переплёте. (第４部第４章)

「それじゃあ、きみは神に熱心に祈るのかい、ソーニャ？」と彼は尋ねた。
ソーニャは沈黙した。彼はその横に立ったまま、答えを待った。「もしも神様がいなかったらわたしはどうなっていたでしょう？」突然輝きだした目をちらりと彼のほうに上げると早口で、力をこめてささやいた。そして片手で彼の手を強く握りしめた。
「ほうら、やっぱりそうだ！」彼は思った。
「で、神とやらはその代わりきみに何をしてくれるんだい？」さらに探りを入れた。
ソーニャは長い間黙っていて、まるで答えることができないようだった。弱々しい胸は全体が興奮のために波打っていた。
「黙っていてください！　聞かないで！　あなたにそんな資格はありません！」彼を厳しく、怒りをこめて見ながら、突然、叫んだ。
《やっぱりね！　やっぱりそうだ！》彼は心の中でしつこく繰り返した。
「すべてのことをしてくださいます」。彼女はふたたび目を伏せると、早口でささやいた。
《ほら、これが逃げ道だ! 逃げ道の説明だ！》かれはそう心に決めて、むさぼるような好奇心で彼女の様子を伺った。
彼は新しく起こってきた奇妙な、むしろ病的とも言える感情を抱いて、蒼白い、痩せた、どこかいびつで骨ばった小さな顔に見入っていた。従順な青い目は、あんなにも火のように光ることがあり、あれほどの厳しい、エネルギッシュな感情に燃え上がることもあるのだ。そしてこの小さな体はまだ憤怒と怒りに震えていた。このことはますます奇妙に、ほとんどあり得ないことのように思われた。《ユロージヴァヤだ！　ユロージヴァヤなんだ！》彼は心の中で何度も繰り返した。
箪笥の上に何か本が置いてあった。行ったり来たりしているたびにそれに気づいていた。今度は手に取って見た。それはロシア語訳新約聖書で、使い込まれ、皮の表紙がついていた。

【単語】
ждать 待つ（目的語は生格のこともある） вски́нув → вски́нуть 《完》「急に上げる」の副動詞（《不完》は вски́дывать） засверка́вшими → засверка́ть《完》「輝き始める」の能動形動詞過去 так и есть ほうら、やっぱりだ выпы́тывая → выпы́тывать 《不完》「探りを入れる」の副動詞（《完》は вы́пытать） да́льше さらに вся грудь 胸ぜんたい колыха́ться 《不完》軽く揺れる、波打つ（《完》は колыхну́ться） сто́ить 価値がある смотря́ → смотре́ть 《不完》「見る」の副動詞 про себя́ 心の中で негодова́ние = возму́шение, кра́йнее недово́льство 強い不満、憤慨 потупи́вшись → поту́пить 《完》「（頭や視線を）さげる」の能動形動詞過去（《不完》は потупля́ть）（例~взор, взгляд 目を伏せる、го́лову うなだれる）

【鑑賞の手引き】

♠「愚か」の表現

ロシア語には「馬鹿」を表わす言葉としてもともと 3 つのグループがある。

① глупéц　дýрень

のろま、愚か者を表わす。

② дурáк　дурачóк

のろまを表わすが時によって宗教的な意味合いを含む。

例 Ивáн-драчóк イワンの馬鹿

③ юрóдивый　блажéнный

「聖なる愚者」を表わす　例　Васúлий Блажéнный 聖ワシーリイ

④ идиóт

これは外来語で「白痴」を表わす。もとはギリシャ語で、医療用語だった。ドストエフスキイは次に書いた長編の題名にスイスで療養していたロシアの若者のカルテに書かれていたであろう Идиóт をあえて用いた。なお女性形の идиóтка を『罪と罰』で既にリザヴェータについて使っていた（чуть не идиóтка 第 1 部第 5 章）。『罪と罰』執筆中に次作のアイディアを得ていたということか。『罪と罰』でもリザヴェータのもとから『新訳聖書』、ソーニャの罪の意識を生むことになる「襟」、そして「銅の十字架」が、ソーニャにもたらされる（第 23 課を参照）。

♠юрóдивая（男性形は юрóдивый）について

«юрóдивый»（瘋癲行者。「白痴」または精神異常者の、あるいはそれを装ったキリスト教の行者。予言の力があると信じられた）の概念がロシアにもたらされたのは、988 年のキリスト教の伝来に続く時期であったとされる。もともと東方教会には、西方教会に比べると、神秘的な宗教体験、あるいは異常な、時には奇怪にうつるほどの苦行に、多くの注意をさいてきた。たとえば小アジア（アナトリア）には、長年にわたり、柱の上でくらしたという僧シモンの伝記が伝わってきており、これらの物語は、ビザンチン文化の一環としてロシアにもたらされた。

♠ロシアの最古のユロージヴィとされるのは、キエフのペチェルスキイ修道院にいたイサーキイである。1074 年の資料によれば、イサーキイは庵を組んで 7 年間（ラスコーリニコフの徒刑の期間やスヴィドリガイロフの結婚生活も 7 年であるが、直接それとは関係がないようだ）の苦行を行った末、悪魔の誘惑を受け、同時に重い病に冒された。病が癒えてからは彼はもはや 1 人の苦行を辞め、ユロージヴィとして振る舞うことを決意する。

♠19 世紀ロシア文学の中に、一群のユロージヴィが現れるのには、カラムジン『ロシア国史』が必要だった。その影響のもとで、プーシキンの戯曲『ボリス・ゴドゥノフ』（1825）が書かれた。そこで юрóдивый は次のように真実を語る。

Юрóдивый：子どもたちがわたしをいじめる。どうかやつらを叩き斬っておくれ。おまえがまだ小さな王子を斬ったように。

貴族たち：ここから立ち去れ、この馬鹿め。この馬鹿を捕まえろ。

贋の皇帝ボリス：放っておけ。わしのために祈ってくれ。かわいそうなニコールカ。

Юрóдивый：いや、だめだ。ヘロデ王のために祈ることはできない。聖母様が許してはくださらないから。

♠トルストイの文学全体に юро́дивый の影を見ることができる、と E.トンプソンは指摘する。1852 年の『幼年時代』、1869 年の『戦争と平和』、また 1899 年の『復活』の幕切れにも、無名の老人となって姿を見せる。20 世紀ロシア小説のなかに юро́дивый の系譜を指摘する研究者もいる。パステルナークの『ドクトル・ジヴァゴ』(1955)、ソルジェニーツィンの『マトリョーナの家』(1936)。さらにこの原型の影響は映画にも及んでいる。タルコーフスキイ監督の作品『アンドレイ・ルブリョフ』(1967)、『ノスタルジア』(1983)、『サクリファイス』(1986) を観てほしい。
♠1989 年にモスクワの映画会館大ホールで開催された第 1 回国際タルコフスキイ・シンポジウム。私は次のように語った。「大学でドストエフスキイについて講義するとき、学生諸君に聖なる愚者たちの果たしてきた特別な位置と意味について注意を向けるように言います。この愚者たちが正教会あるいはロシア文化の中で演じてきた役割についてはプーシキンが『ボリス・ゴドゥノフ』を書いています。この戯曲では聖なる愚者は真実を見通すという重要な役を与えられていますが、タルコフスキイは『ボリス』を演出するのにあたって、愚者の像に極めて大きな比重をかけていた、といいます。今回のシンポジウムでおこなわれた彼の演出のこうした特徴についてのオランダの方の報告は私にとって大変興味深いものでした（以下略）」。この時の私のロシア語によるレポート«Тарко́вский в Япо́нии»は、1992 年、Кинове́дческие запи́ски. №14.に掲載された（日本語では『WAVE』26 号、1990 年）。このタルコフスキイ・シンポジウムについて私は「朝日新聞」1989 年 5 月 25 日付け夕刊に「開かれたソ連社会の一里塚」と題して書いた。シンポジウムが開かれたのは、ベルリンの壁解体の半年ほど前だった。これ以後、一気にソ連崩壊まで（1991 年 12 月）ペレストロイカは突き進む。

【日本では】

【鑑賞の手引き】で述べたように、юро́дивый は外来語・医学用語では идио́т だ。
「全自作を語る」で黒澤明監督は『白痴 Идио́т』について言っている。
「これは実は『羅生門』の前からやろうときめてた。ドストエフスキーは若い頃から熱心に読んで、どうしても一度はやりたかった。もちろん僕などドストエフスキーとはケタがちがうけど、作家として一番好きなのはドストエフスキーですね。生きて行く上につっかえ棒になることを書いてくれてるひとです」(『世界の映画作家 3　黒澤明』キネマ旬報社、1970 年、122 ページ)。
黒澤作『白痴』は 4 時間 25 分の作品として完成されたが、松竹が 2 時間 46 分まで短縮した。日本では興行的に不振に終わったが、ロシアでは人々に迎えられた。ロシア作の映画『白痴』は人気を博し、主人公ムイシキンの俳優の演技には黒澤映画の主人公を演じた森雅之の影響があると言われ、ムイシキンを演じたロシアの俳優は、精神のバランスを失った、という。そこで映画は前半しか完成しなかった、とされる。「あの役は、人間が演じることが難しいのだ」といううわさを耳にした。

第17課　ソーニャとの第1の晩(3)

«Иису́с же, опя́ть скорбя́ вну́тренно, прохо́дит ко гро́бу. То была́ пеще́ра, и ка́мень лежа́л на ней. Иису́с говори́т: отними́те ка́мень. Сестра́ уме́ршего Ма́рфа говори́т Ему́: Го́споди! уже смерди́т; и́бо *четы́ре* дни, как он во гро́бе».

Она́ энерги́чно уда́рила на сло́во: *четы́ре.*

«Иису́с говори́т ей: не сказа́л ли Я тебе́, что е́сли бу́дешь ве́ровать, уви́дишь сла́ву Бо́жию? Ита́к, о́тняли ка́мень от пеще́ры, где лежа́л уме́рший. Иису́с же возвёл о́чи к не́бу и сказа́л: О́тче! благодарю́ Тебя́, что Ты услы́шал Меня́. Я и знал, что Ты всегда́ услы́шишь Меня́; но сказа́л сие́ для наро́да, здесь стоя́щего, что́бы пове́рили, что Ты посла́л Меня. Сказа́в сие́, воззва́л гро́мким го́лосом: Ла́зарь! иди́ вон. *И вы́шел уме́рший,*

(Гро́мко и восто́рженно прочла́ она́, дрожа́ и холоде́я, как бы в о́чию сама́ ви́дела:)

〈…〉

(第4部第4章)

不定形	現在変化	不完了体副動詞
скорбе́ть	→ скорблю́, ско́рбишь	скорбя́　悲しみながら
例 смотре́ть	смотрю́, смо́тришь	смотря́　見ながら

【単語】

пеще́ра 洞窟　уме́рший → умере́ть「死ぬ」の能動形動詞現在（不定形の-ть の前に母音のあるものは-ть を除いて-вший を付け、-сти, -зть, -чь および-ереть に終わるものでは、語幹に-ший を付ける）Го́споди → госпо́дь の呼格形で、驚き、思いがけないことを表す　смерде́ть 悪臭を放つ　отня́ть（о́тнял, отняла́, о́тняло, о́тняли）「取り除く」ここは不定人称文「人々が」「彼らが」という含意がある。「〜される」と受動的に訳すとよい。возвести́（旧い言い方で）上げる　очи → око《詩、旧、民間》目　О́тче《旧呼格》父よ　услы́шать《完》耳を傾ける　стоя́щий → стоя́ть「立っている」の能動形動詞現在　что́бы пове́рили 信じるようになるために（чтобы の後ろは動詞の過去形）сказа́в → сказать《完》「言う」の副動詞　воззва́ть 大声で言う　дрожа́ → дрожа́ть《不完》「震える」の副動詞　холоде́я → холоде́ть《不完》「寒い、ぞっとする、悪寒を感じる」の副動詞　в о́чию = свои́ми глаза́ми 自分の眼で

モチーフ「ラザロよ、出でよ！」

《そこでイエスは、再び心の中で、悲しみ、棺に向かった。それは洞窟で、岩が置かれていた。死者の姉のマルファは彼に言った。「まあ、なんということでしょう！もう悪臭を放っています。なぜなら、棺に納められて**四日**がたちますから。》

彼女は**四日**というところに、力をこめて言った。

《イエスは彼女に言った。汝に言わなかっただろうか、信じるなら、神の栄光を見るであろう、と。そこで死者の横たわる洞窟から岩が取り除かれた。イエスは天に向かって視線を上げると、言った。
「父よ、わたしの言うことを聞いてくださったことに感謝します。あなたがいつもわたしの言うことを聞いてくださることを知っています。しかしこれは、立っている人々が、あなたがわたしを遣わされたことを信じるようになるためです。こう言うと、大きな声で言った。「ラザロ、出でよ！」すると、**死者は出て来た**」

（彼女は、自身が目の当たりに見たかのように、感激に身を震わせ、悪寒に襲われて、大声で読み終えた。）

〈…〉　　　　　　　　　　　　　　　　　　　　　　　　（太字は原文イタリック・井桁）

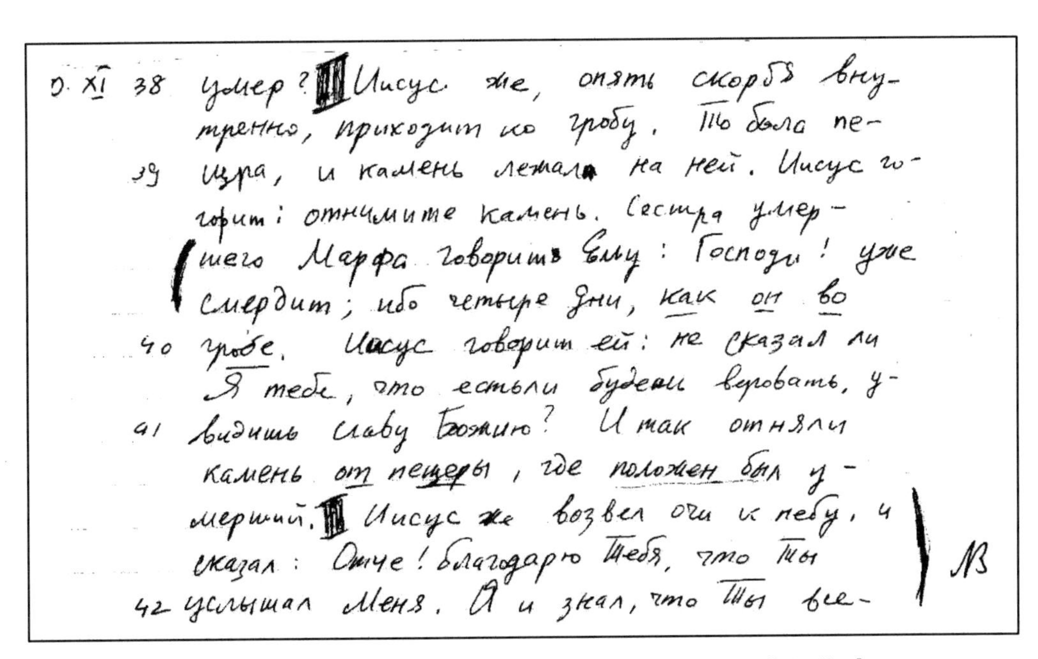
Ю. XI 38 умер? Иисус же, опять скорбя вну-
тренно, приходит ко гробу. То была пе-
39 щера, и камень лежал на ней. Иисус го-
ворит: отнимите камень. Сестра умер-
шего Марфа говорит Ему: Господи! уже
смердит; ибо четыре дни, как он во
40 гробе. Иисус говорит ей: не сказал ли
Я тебе, что естьли будешь веровать, у-
41 видишь славу Божию? И так отняли
камень от пещеры, где положен был у-
мерший. Иисус же возвел очи к небу, и
сказал: Отче! благодарю Тебя, что Ты
42 услышал Меня. Я и знал, что Ты все-

【著者の手書きによる「ドストエフスキイの聖書」のラザロの復活の箇所の様子】

【鑑賞の手引き】

♠ドストエフスキイの聖書を初めて手に取った時の感激は忘れられない。
1ページ目には次のように書かれていた。

Господа нашего Иисуса Христа Новый Завет Цена в переплете 2 руб. 25 коп. Первым изданием Санктпетербург. В Типографии Российского Библейского Общества, 1823

ロシア国立図書館（レーニン図書館）の Отдел редких книг（稀覯本課）が移管を申し入れたが Рукописный отдел（手稿課）のほうで手放さなかった、と聞いた。こげ茶色の皮の表紙で、大きさを測ってみると縦 19.5 センチ、横 15 センチ。ずいぶん手ずれのしたもので、実際にドストエフスキイの手が触れたと思うと感懐が浮かぶ。

♠係の方が大切そうに持って来てくださった聖書は紙製（だったと思う）の箱に入れられ、ロシアの稀覯本がいつもそうであるように（ドストエフスキイの創作ノートを調査した時もそうだった。創作ノートは筆跡が読みにくく相互の時機の確定が外国の研究者には難しかった）、閲覧者がサインをする用紙が付いていて、グロスマンなど、尊敬する研究者のサインが 10 人ほど並んでいた。意外に少ないな、と思った。1980 年に私が閲覧するまで、日本の研究者のサインはなかった。留学中のモスクワ大学に書いてもらった紹介状が入館、閲覧の許可に重要だったのかも知れない。

♠この Евангелие 新約聖書には次のような説明がついている。

Евангелие принадлежало Ф.М.Достоевскому и было подарено ему в январе 1850г. женами декабристов в Тобольске. Верхняя крышка переплета надорвана внутри (место где были спрятаны 10 р. ассигн.)

この聖書はフョードル・ミハイロヴィチ・ドストエフスキイのもので 1850 年 1 月にトボリスクでデカブリストの妻たちから贈られたものである。表紙の上部は少し破られている（紙幣 10 ルーブルが隠されていた場所である）。

♠聖書へのドストエフスキイとアンナ夫人の書き込み

この聖書への書き込みはインクが多く、下線は鉛筆によるものが多い。「ヨハネの福音書」の第 11 章 25 節の「Я есм воскресение и жизнь. 私は蘇りであり、命である」のところに鉛筆で下線が引かれている。またそれに続く 27 節には「Веришь ли сему? 汝はこれを信じるか？」にはペンで印がついている。

そして、ソーニャが朗読する「ヨハネによる福音書」の第11章38節から、41節までがペンによる印がつけてある(私がドストエフスキイの聖書を調査したときにドストエフスキイ自身による書き込みを忠実に手書きで書き写した)。

♠アンナ・グリゴーリエヴナによる書き込みから

ОТ МАТФЕЯ　гл. Ⅲ　13

Не удерживай, ибо так надлежит нам исполнит всякую правду.

『マタイによる福音書』第3章13節

「今は止めないでほしい。なぜなら、あらゆる正義を行わなければならないのだから」(ここではロシア語から訳出する) の上に鉛筆で「フョードル・ミハイロヴィチの頼みで、私によって開かれ、読まれた。亡くなる当日の3時のことだった」と書き込まれている。アンナ夫人の筆跡は、きわめて繊細な、几帳面なものだった。

ところで、アンナ夫人の回想によると当日の朝7時にドストエフスキイは目覚め、この聖書を読むように頼んだ、という。時間に少しのずれがある。

♠ロシア語の聖書の歴史

17世紀のわずかな試みを別とすれば、18世紀にいたるまでロシア語の聖書は存在せず、聖書と言えば、教会スラヴ語のものをさしていた。19世紀になると、ロシア語聖書の普及をめざす Российское Библейское Общество が1813年に設立される。1816年アレクサンドルI世によってロシア語聖書の仕事が開始され、1819年教会スラヴ語ロシア語対訳のかたちで4つの福音書が出版される。

1823年には新約聖書が初めてロシア語だけで出版される。

「手稿課」で手にとったものが、この1823年のものだ。

♠ついでに「創作ノート」に聖書のことが書きとめられていることも報告しておく。最終のテクストを読み解くのに役に立つと思われる。

創作ノートⅢでは、ソーニャについて、次のようなメモがある。

——Я camá былá Лáзарь умéрший, и Христóс воскресúл меня́.. 私自身が死んだラザロでした。そしてキリストが私を蘇らせてくれたのです。

【日本では】

日本の若い作家も、ドストエフスキイの名を作品に書き込んでいる。鹿島田真希(1976－、17歳のときに日本ハリストス正教会で受洗し正教会信徒となる)『6000度の愛』(2005年) には次のように書かれている。

「『罪と罰』では回心したラスコーリニコフが娼婦ソーニャにラザロの復活を読ませる場面がある。この箇所の朗読によってラスコーリニコフは完全に人殺しについての自首を決意をする。もしこの話が実話であるなら大したドラマだ」。

第18課　マルメラードフの追善供養

Катери́на Ива́новна вста́ла со сту́ла и стро́го, по-ви́димому споко́йным го́лосом (хотя вся бле́дная и с глубоко́ подыма́вшеюся гру́дью), заме́тила ей, что е́сли она хоть то́лько оди́н ещё раз осме́лится «сопоста́вить на одну́ доску́ своего́ дрянно́го фатери́шку с её па́пенькой, то она́, Катери́на Ива́новна, сорвёт с неё че́пчик и расто́пчет его́ нога́ми». Услы́шав э́то, Ама́лия Ива́новна забе́гала по ко́мнате, крича́ изо́ всей си́лы, что она́ хозя́йка и чтоб Катери́на Ива́новна «в сию́ мину́ту съезжа́ль с кварти́р»; зате́м бро́силась для чего́-то собира́ть со сто́ла сере́бряные ло́жки. Поднялся́ гам и гро́хот; де́ти запла́кали. Со́ня бро́силась бы́ло уде́рживать Катери́ну Ива́новну; но когда́ Ама́лия Ивано́вна вдруг закрича́ла что́-то про жёлтый биле́т, Катери́на Ивано́вна отпихну́ла Со́ню и пусти́лась к Ама́лии Ива́новне, что́бы неме́дленно привести́ свою́ угро́зу, насчёт че́пчика, в исполне́ние. В э́ту мину́ту отвори́лась дверь, и на поро́ге ко́мнаты вдруг показа́лся Пётр Петро́вич Лу́жин. Он стоя́л и стро́гим, внима́тельным взгля́дом огля́дывал всю компа́нию. Катери́на Ива́новна бро́силась к нему́.

(第5部第2章)

モチーフ「すさまじい騒ぎ声と騒音が起こった」

カチェリーナ・イワーノヴナは椅子から立ち上がると、見たところ平静な声で（顔は青ざめ、胸は大きく波打っていたが）厳しく、もし彼女が一度でも《自分のやくざなファーテルと彼女のお父様を同列に並べるようなまねをしたら、その時は、彼女、カチェリーナ・イワーノヴナは、あんたの帽子をもぎ取って足で踏みにじってやる》と宣言した。これを聞いたアマーリア・イワーノヴナは部屋中を駆け回り始めた。精いっぱいの大声をあげて、自分は家主である、カチェリーナ・イワーノヴナには《ただちに部屋から出て行って》もらう、と叫んだ。それから、なんのためか、テーブルから銀のスプーンを集めにかかった。すさまじい騒ぎ声と騒音が起こった。子供たちは泣き始めた。ソーニャはカチェリーナ・イワーノヴナを引き留めようと飛び出そうとした。しかし、アマーリア・イワーノヴナが突然、黄色い鑑札についてなにやら叫び始めると、カチェリーナ・イワーノヴナはソーニャを押しのけて、帽子についての自分の脅し文句をすぐにも実行に移そうとアマーリア・イワーノヴナに向かって突進した。この瞬間ドアが開いて、部屋の敷居の上に突然ピョートル・ペトローヴィチ・ルージンが姿を見せた。彼は立ったまま、厳しい、注意深い視線で一同を眺めまわした。カチェリーナ・イワーノヴナは彼のところに飛んで行った。

【単語】

подыма́вшийся → поднима́ться《不完》「高まる、盛り上がる」の能動形動詞過去（《完》は подняться） осме́литься《完》あえてする（《不完》は осме́ливаться） дрянно́й ろくでもない、やくざな фа́теришка → фа́тер（父親・ドイツ語）＋–ишка（指大・卑称的接尾辞、例 актёришка へぼ役者） сорва́ть 《完》もぎ取る（《不完》は срыва́ть） че́пчик → чепе́ц 帽子（愛称） растопта́ть《完》踏みにじる（《不完》は раста́птывать） услы́шав → услы́шать《完》「聞く」の副動詞（《不完》は слы́шать） крича́ → крича́ть《不完》「叫ぶ」の副動詞（《完》は кри́кнуть） изо всей си́лы 全力で съезжа́ть《不完》乗って降りる（《完》は съе́хать） ～с кварти́ры 移転する подняло́ся → подня́ться《完》起こる（《不完》は поднима́ться） гам 大勢で騒ぐ声 гро́хот 騒音、大笑い уде́рживать《不完》支える、引き留める（《完》は удержа́ть） отпихну́ла 《完》突き放す、押しのけようとする（《不完》は отпи́хивать） пусти́ться《完》出発する、走って向かう（《不完》は пуска́ться）

【鑑賞の手引き】

♠バフチンはマルメラードフの追善供養の場面について「カーニバル（『罪と罰』の）マルメラードフの追善供養での、激しくカーニバル化されたスキャンダルと奪還の場面「第5部第2−3章」を挙げることができる」という。

それでは「カーニバル」とは、どういうものだろう？ ここでは歴史的に見ていこう。

歴史的には「カーニバル（さまざまな祝祭、儀式、カーニバル型の諸形式といった総体的な意味で）の問題、その本質、人間の原始的体制や思考に深く根をおろしている問題、階級社会の諸条件のなかで、それがいかに展開しているか、その異常な生命力と魔力の問題——それは文化史のもっとも複雑で興味の尽きない問題のひとつである」（バフチン『ドストエフスキイ論』新谷敬三郎訳、180ページ。以下、ここでの訳は【日本では】で取り上げるテーマに関わるので、この邦訳書で読んでゆく）。

▼古代アッティカやローマからカーニバルの伝統は続いてきた。中世後期の大都会（ローマ、ナポリ、パリ、リヨン、ケルンなど）では1年に合計3か月カーニバル的生活を送っていた。

「カーニバルそのもの（繰り返していう、カーニバル型の様々な祭りの総体）はもちろん文学的現象ではない。それは儀式的性格のシンクリシス（信仰対不信、謙虚対高慢）的、見世物的形式である。それは非常に複雑で多様で、共通のカーニバル的基礎のうえに時代や、民族や個々の祭りに応じて、それぞれ違ったヴァリエーションやニュアンスを持っている」。

「カーニバルとはフットライトなしの、演技者と観客の区別のない見世物である。そこではみんなが積極的な参加者であり、カーニバルの聖餐を享けるのである。カーニバルは観るものではなく、厳密にいうと、演じるものでさえなく、そのなかで**生きる** живут もの、その法則に働らきかけられながら、それにしたがって**カーニバル的生を** карнава́льною жи́знью 生きるものなのである。カーニバル的生とは**常軌** обы́чной を逸した生であり、なんらかの程度において、《裏返しの生》《あべこべの世界》である」。

♠歴史的に見れば、カーニバルには4つの特性がある。

❶カーニバルとは観るものではなく、そのなかで生きるものである。カーニバル的生とは、常軌を逸した生であり、裏返しの生であり、あべこべの世界である。

❷カーニバルにおいては人と人との距離は取り除かれ、人びとは自由であけすけな接触を持つ。

（▼追善供養に集まった人々は「自由であけすけな接触」を持ち、常軌を逸している）。

❸カーニバルにおいては、ちぐはぐな組み合わせがある。聖も俗も、高きも低きも、偉きも卑しきも、驚きも愚かも一緒にし、結び合わせる。

❹俗化というカテゴリーがある。聖物冒涜、あらゆる卑俗化と失墜、肉体の生産力とつながる卑猥さや格言のパロディなどが現れる。

♠バフチンはカーニバル劇の主なものはカーニバルの王のおどけた戴冠とそれに続く剥奪であり、この儀式劇の基礎には転換と交代、死と再生のパトスがある。カーニバルの火の形象も、笑いも背反的に二重的である。
（▼マルメラードフの追善供養では、ルージンの権威は剥奪される。「火」のモチーフがこの場面には描かれていない）。
♠バフチンによれば、カーニバルではパロディの手法が随所に応用されている。「パロディ化する分身は、カーニバル化された文学にもきわめて頻繁に登場し始める。それが特にはっきりと現れているのがドストエフスキイの作品で、彼の小説のほとんどすべての中心人物には分身がいて、本人をさまざまなかたちにパロディー化してみせる。
すなわち、ラスコーリニコフにはスヴィドリガイロフ、ルージン、レベジャートニコフが、（『悪霊』の）スタヴローギンには、ピョートル・ヴェルホヴェンスキイ、シャートフ、キリーロフが、（『カラマーゾフの兄弟』ではイワン・カラマーゾフにはスメルジャコーフ、悪魔、ラキーチンがいる。彼ら（つまり分身たち）の一人一人の内で主人公はひとたび死に（つまり否定され）、そして蘇る（つまり浄化され自分自身をこえてゆく）のである」（前掲書 187 ページ）。
♠なおポドローガによれば主体と他者の能動的な意識的対話など、カーニバルにおいては原理的に不可能である、とされる。（貝澤哉『引き裂かれた祝祭』54 ページを参照）

【日本では】

武田泰淳（1912－76）の小説『富士』（1971 年）の舞台は富士山麓の精神病院。ここで常軌を逸した物語が展開し、人びとは無遠慮な接触を繰り返す。その意味で、ここはカーニバル的空間だろう。
時代は第 2 次世界大戦前夜。病院内の秩序次第に乱れ、ついに取り返しのつかない事態に陥ってゆく。
主人公は一条実美という青年だが、彼は大学の医学部を卒業しながら、患者としてこの病院に入っている。彼のなかには《叡智》と《痴愚》が共存している。この「狂人」は自分を宮様と名乗り、また人々は彼を「キリスト」として語り合ったりする。旧約・新約のモチーフが《聖物冒涜》の笑いの洪水の中で描かれていく。《パロディー化する》とはすなわち「奪還者」の失墜であり、《あべこべの世界》をこしらえることだった。
やがてこの病院に本物の宮様がやってくる。ここで《ペアの構造》が獲得されるが、一条は宮様に手紙を手渡そうとして逮捕され、殺害される。
こうしたプロットの進行に従って、小説世界はカーニバル的感覚を強める。
最後に病院の秩序は完全に失われ、病院は火に包まれる･･･
日本文学のなかで、カーニバル化された感覚をこれほどまでに見事に表現している作品を私は知らない。バフチンの『ドストエフスキイ論』が翻訳されたのが 1968 年 6 月で、泰淳の『富士』は 1969 年 10 月から 1971 年 6 月まで、雑誌に連載された。影響関係を想像することはできるだろう。

第19課　ソーニャとの第2の晩(1)

Прошла́ ещё ужа́сная мину́та. О́ба всё глядéли друг на дру́га.

— Так не мо́жешь угада́ть то? спроси́л он вдруг, с тем ощущéнием, как бы броса́лся вниз с колоко́льни.

— Н-нет, — чуть слы́шно прошепта́ла Со́ня.

— Погляди́-ка хорошéнько.

И как то́лько он сказа́л э́то, опя́ть одно́ прéжнее, знако́мое ощущéние оледени́ло вдруг его́ ду́шу : он смотрéл на неё и вдруг, в её лицé, как бы уви́дел лицо́ Лизавéты. Он я́рко запо́мнил выражéние лица́ Лизавéты, когда́ он приближа́лся к ней тогда́ с топоро́м, а она́ отходи́ла от него́ к стенé, вы́ставив вперёд ру́ку, с совершéнно дéтским испу́гом в лицé, точь-в-то́чь как ма́ленькие дéти, когда́ они́ вдруг начина́ют чего́-нибудь пу́гаться, смо́трят неподви́жно и беспоко́йно на пуга́ющий их предмéт, отстраня́ются наза́д и, протя́гивая вперёд ручо́нку, гото́вятся запла́кать. Почти́ то же са́мое случи́лось тепéрь и с Со́ней : та́кже бесси́льно, с тем же испу́гом, смотрéла она́ на него́ нéсколько врéмени и вдруг, вы́ставив вперёд лéвую ру́ку, слегка́, чуть-чу́ть, уперла́ ему́ па́льцами в грудь и мéдленно ста́ла поднима́ться с крова́ти, всё бо́лее и бо́лее от него́ отстраня́я, и всё неподви́жнее станови́лся её взгляд на него́. Ужас её вдруг сообщи́лся и ему́ : то́чно тако́й же испу́г показа́лся и в его́ лицé, то́чно так же и он стал смотрéть на неё, и почти́ да́же с то́ю же *дéтскою* улы́бкой.

— Угада́ла? — прошепта́л он наконéц.

— Го́споди! — вы́рварлся ужа́сный вопль из груди́ её.

(第5部第4章)

モチーフ「これでもわからない？」

なおも恐ろしい一分間が過ぎた。二人はたがいをじっと見つめていた。

「これでも、分からない？」突然彼は尋ねた。鐘楼の上から飛び降りるような感覚で。

「え、ええ」ようやく聞こえるかどうかの声でソーニャはささやいた。

「よおく見てごらん」

そう言ったとたんに、前からよく知っている感覚が彼の心を凍り付かせた。彼は彼女を見ていた。すると突然、彼女の顔にリザヴェータの顔を認めたのだった。リザヴェータの顔の表情ならありありと覚えていた。あの時、斧を手にして彼が近寄っていくと彼女は、壁際へと後ずさりして行った。片手を前にあげて、顔にはすっかり子供の怯えた表情を浮かべていた。子どもたちが不意に何かに怯えて、その何かを身じろぎもしないで、不安そうに見つめながら、片手を前にあげて、今にも泣きだしそうにしている。そうした時と寸分たがわぬことが、今はソーニャに起こった。同じように無力で、同じように怯えて、彼女はラスコーリニコフを少しの間見つめていたが、突然左手を前に上げると、ほんの少し指先で彼の胸を突き立てるようにした。そしてゆっくりとベットから腰を浮かせ、少しづつ身を引くようにした。いっぽう、彼にむけられた視線は、ますます動かなくなっていった。彼女の恐怖は、突然に彼にも伝わった。すっかりそのままの怯えが、彼の顔にも現れ、まったく同じように彼はソーニャを見つめ、その顔には**子供のような**微笑みさえ浮かんでいた。

「分ったかい？」彼はついにささやいた。

「ああ、神様！」恐ろしい叫び声が彼女の胸からほとばしった。

【単語】

-то 文に情緒的、または親しい調子を与える -ка 命令法また間投詞などに付して和らげ促しの意味を与える（例 послу́шай -ка） как то́лько～…するや否や вы́ставив → вы́ставить《完》「前に出す」の副動詞（《不完》は выставля́ть）точь-в-точь 寸分たがわず、まるでそっくり упёрлась → упере́ться《完》押し付ける、突っ張る（《不完》は упира́ться）сообщи́лся → сообщи́ться +与格…に伝わった

【鑑賞の手引き】

♠「びくびくした子供のような気持を抱いて」

◇ラスコーリニコフがソーニャに「よおく見てごらん」と言った時、「前に見たことのある表情を、そっくりそのままソーニャの顔の上にも見た」と書かれている。

第7課と第19課のテキストを比べてほしい。確かに「子供たちの怯えた表情」が現れ、「自分を守る動作を起こさない」という特徴がみられる。(【日本では】も参照)

ここで心理学者のもう一つの報告（臨床例）を、カール・グスタフ・ユングの著書『自我と無意識の関係』(原著は1933年、人文書院から野田倬訳で1982年刊）で知ることが出来る。

「ところで今ここで問題にしているのは、1人の人間をすっかり打ちのめしかねない、あるいはすくなくとも、永久に不具にしてしまうこともある破壊的体験である。例として、余りにも大胆の度が過ぎて、その結果破産した商人を考えてみよう。そのような気力をそぐような体験にもめげず、毅然とした大胆な態度をとりつづけるなら、それもひょっとすると程よくセーブそのされているかもしれないが、その場合、彼の傷は跡形もなく治癒したのである、逆に彼が駄目になり、それ以上の冒険を一切断念し、社会的な評判を昔にくらべはるかに狭くなった人格の枠のなかで取りつくろうのに汲々として、<u>びくびくした子供のような気持を抱いて</u>、大したこともない地位につき、明らかに自分の能力を下まわるような、取るにたりないしごとをしたとする。その場合、彼は ― 専門的に言えば ― 自分のペルソナを退行の途中上で復元したのである。

受けた恐怖が尾を引いて、彼は自分を卑小化してしまって、一見すると自分があたかもまだその危ない体験のまえに立っているかのような様子をしている。そのような冒険をくりかえすことすら、まったく不可能なくせにである。彼は恐らく、自分の実力以上のことを望んだのであろう。今は。自分が本当にそれだけの力がやる勇気がないのである」(ユングの前掲書、69－70 ページ)（下線は引用者)。

ユングは、「このような事象は、まさしく心理治療以外の人生の諸局面においても、同じように観察され得る」と言う。

『罪と罰』に戻れば、リザヴェータは姉にいつも虐げられており、ソーニャは、カチェリーナに叩かれることもあった。

ここから導き出されるのは、ドストエフスキイが描いたソーニャも、リザヴェータも、1933 年の患者が危機に面してとる行動にはほとんど変わりがない、ということ、というより、ドストエフスキイの小説が、この一節で、現実をほとんど予側していた、ということだろう。細部に至るまでの想像力(あるいは観察力)の正確さに驚く。

♠「英雄的な殉教者」

ユングの強みは臨床例に基礎を持っている、という点である。「臨床の現実においては、周知のように、こうした発達について単に知識を得るだけでなく、この変容を体験することが大切である。人格の小児的な部分が現れる最初の状態は、過大な要求を持っていながら「見捨てられている」、すなわち「誤解され」不当に扱われている子供というイメージを表す。英雄の顕現（第2の同一化）は、それにふさわしい自我肥大の形で示される。あるいはこの要求が満たされないと、自分の劣等性が証明されたことになり、そこから英雄的な殉教者（マイナスの自我肥大）の役割が育てられる」(『元型論』、紀伊国屋書店、1990年、「童児元型」208－209ページ)。

ユングは「「童児」の最初の現れは大抵の場合、まったく意識されない」としているが、ラスコーリニコフは子供の頃に見た「痩せ馬の夢」では「不当に扱われている子供」という自己像を思い出している。そして大学生になった彼は、「自我過剰」に陥って「犯罪について」と題する論文を書く。

【日本では】

遠藤周作著『わたしが・棄てた・女』では、「子供の怯えた表情」を導くために作家は「注射を打たれる前の」を補っている。

「ぼくはその時のミツの表情を思い出すことができる。喘ぎながら一つ一つ、言葉を切り、こちらの顔を悲しそうにじっと見つめ......注射を打たれる前の子供の怯えた表情......そうだそれがあの時のあの娘の顔だった」。

文庫本の裏の紹介文を引用すると

「2度目のデイトの時、裏通りの連込旅館で躰を奪われたミツは、その後その青年に誘われることもなかった。青年が他の女性に熱を上げ、いよいよ結婚がちかづいた頃、ミツの躰に変調が起こった。らいの病状である」。

この小説の初めのほうの「ぼくの手記（三)」の中にこんな一節がある。

「『まア、こんなもん、くれたわ』

ぼくの機嫌をとるためか、こんなものを買ってふりかえるミツの手の中にはすずを溶かして作った薄っぺらな<u>小さい十字架</u>がのっていた」(「十字架」ついては第23課参照)。

第20課　ソーニャとの第2の晩(2)

— Э́кое страда́ние! — вы́рвался мучи́тельный вопль у Со́ни.

— Ну, что тепе́рь де́лать, говори́! — спроси́л он, вдруг подня́в го́лову и с безобра́зно искажённым от отча́яния лицо́м смотря́ на неё.

— Что де́лать! — воскли́кнула она́, вдруг вскочи́в с ме́ста, и глаза́ её, досе́ле по́лные слёз, вдруг засверка́ли. — Встань! (Она́ схвати́ла его́ за плечо́; он приподня́лся, смотря́ на неё почти́ в изумле́нии). Поди́ сейча́с, си́ю же мину́ту, стань на перекрёстке, поклони́сь, поцелу́й снача́ла зе́млю, кото́рую ты оскверни́л, а пото́м поклони́сь всему́ све́ту, на все четы́ре сто́роны, и скажи́ всем, вслух: "Я уби́л!" Тогда́ Бог опя́ть тебе́ жи́зни пошлёт. Пойдёшь? Пойдёшь? — спра́шивала она́ его́, вся дрожа́, то́чно в припа́дке, схвати́в его за о́бе руки́, кре́пко сти́снув их в свои́х рука́х и смотря́ на него́ огневы́м взгля́дом.

Он изуми́лся и был да́же поражён её внеза́пным восто́ргом.

(第5部第4章)

【単語】

э́кое → э́кий　なんという(俗語、口語)　вы́рваться《完》(言葉や声が)不意に、思わず出る(《不完》は вырыва́ться)　мучи́тельный 苦しい、痛ましい　вопль《男》(恐怖、絶望、救いを求めての)叫び　ну（口語、要求を表す間投詞)さあ　что де́лать(不定形を述語とする無人称文)どうする(べき)か　тепе́рь いまは(以前と違って)こうなったからには　подня́в → подня́ть《完》「持ち上げる」の副動詞（《不完》は　поднима́ть）　безобра́зно（без＋образ　美しい形＋но）醜く　искажённый → искази́ть「歪める」の被動形動詞過去（形容詞としても扱う）ひきつった（例 искажённое от зло́бы лицо́　憎悪にひきつった顔）　смотря́ → смотре́ть《不完》「見る」の副動詞　вскочи́в → вскочи́ть《完》「跳び上がる」の副動詞　досе́ле = до́ сих пор これまで(旧)　по́лный+生格　いっぱいに満ちた　встань → встать「立ちあがる」の ты への命令形　за つかむ、握る、さわる（対象を示す)

モチーフ「どうしたらいい？」

「なんて苦しいこと！」ソーニャの口から、苦痛に満ちた叫びがこぼれた。

「さあ、いま、こうなってから、どうしたら、いいか。言っておくれ！」突然、頭を上げて、彼は尋ねた。絶望に歪んでしまった顔で彼女を見ながら。

「どうしたら、ですって！」彼女はその場から跳び上がって、叫んだ。この時まで涙であふれていた目が突然に輝き始めた。「立ちなさい！」（肩のところをつかんだ。彼はすっかり驚いて彼女を見つめた。）「すぐに、この瞬間に行って、十字路に立って、深く頭を下げて、まずあなたの汚した大地に接吻し、それから全世界に、四方に向かって声に出してこう言うの。「私が殺しました」って。そうしたら、神はあなたに生きる力を送ってくださるわ。行きますか？ 行くでしょう？」発作に襲われたように幾度も尋ねた。全身をがたがたと震わせて、彼の両手を手の中にしっかりと握りしめ、燃えるような視線で見つめた。

ラスコーリニコフは驚愕し、彼女の有頂天の様子に深く心を動かされていた。

【単語】

изумлéние = крáйнее удивлéние 極度の驚き подú → пойти の命令形で、丁寧には подúте（口語） сейчáс いま、この瞬間に（⇔тепéрь） сию́ → сей の女性対格「この」（文語的、また旧） же 強調のための小詞で何にも付けることができる стань → стать「立つ」の命令形 перекрёстка 十字路（крест が隠れているので「交差点」では物足りない） поклонúсь → поклонúться 「叩頭する」の命令形（日本でイメージする「お辞儀する」とは異なり、頭を地面に向かって下げるロシアの身振り） поцелу́й → поцеловáть の命令形 четы́ре 4 つの（この小説には数字の「4」が重要な役割を担っているとの指摘がある。「四方」と訳したい。「東西南北」は人間の世界を意味する。これに対して「3」という数字は「父」と「子」と「聖霊」を表わす神の世界の数である） пошлёт → послать 送る（旧い言い方で Бог пошлёт.ひょいと手に入る） жúзни → жизнь の生格、「生のエネルギーを」と、数量的にイメージしているかも知れない（こうした生格の使用はここだけ。「命の水の川」（黙示録）のイメージか？） пойдёшь → пойти 行く спрáшивала《不完》繰り返される動作の表現に用いられている вся（女性の）全身を дрожá → дрожáть《不完》「震える」の副動詞 схватúв → схватúть《完》「つかむ」の副動詞 стúснув → стúснуть《完》「握る」の副動詞 изумúлся 驚愕する поражён → поражённый → поразúть「深く感動させる」の被動形動詞過去男性短語尾

【鑑賞の手引き】

♠なぜ「поцелу́й снача́ла зе́млю」なのか？

ロシアの神学者にとっても、ソーニャの命令は驚きを呼ぶものだった。ソーニャはなぜここで教会での告白へとラスコーリニコフを促さなかったのか？——こうした問いを発したПлетнёвは、その解答としてロシアの民衆の中に古代から存在する「大地信仰」との強い関連を指摘している。この場面は、ロシア最初の異教の動きである14世紀のノヴゴロドのストリゴーリキ派の大地信仰と結び付けて論じられたり、ロシアの英雄叙事詩の勇士が大地から力を得ることに結び付けたりということが行われてきた。ドストエフスキイはこの大地イメージに幼少期の乳母の物語でも触れ得ただろうし、親しく知ったのは分離派教徒の信仰に出会い、民衆の信仰形態に触れた、シベリヤ徒刑の時期だろうというプレトニョーフの推測も十分に成り立つ。ロシア神話学派の学者Афана́сьевは『罪と罰』執筆の時期と重なる1865年〜69年に『スラヴ諸民族の詩的自然観』の「空と大地」の項目で、

「『病気が治り健康になる』ことは旧い表現では神から赦しを得る、と表現された。よく病人は四辻に出て行き、俯せに身を投げる。そして母なる大地に疾病を癒してくれるようにと願うのである。」としている。

私はイタリア、ベルガモでの第4回国際ドストエフスキイ・シンポジウム（1980年8月17〜23日）で「Достое́вский и Афана́сьев」というテーマの発表をしたが、「これまでアファナーシエフの『詩的自然観』をきみのように読んだ人はいなかった」とイスラエルの老学者に評価をいただいた。ロシア留学中にこの論文を掲載してくれる雑誌はないかといろいろな研究者を訪ねたが、「面白い。けれどもドストエフスキイがアファナーシエフの著書を読んでいたという直接の証拠が欲しい」との一致した反応だった。ソ連時代には文書は回し読みされることが多く、この論文は私の知らない間に現代の神話学者ヴャチェスラフ・フセヴォロド・イワーノフの手にわたったらしく、彼の論文「О нау́чном ясновú́дении Афана́сьева, ска́зочника и фольклори́ста」（Литерату́рная учё́ба 1982, 1）に「日本の現代の文学研究者 япо́нский литературове́д на́шего вре́мени」Садаёси Игэтаの仕事として引用された。またアファナーシエフと同様、ロシア神話学派に属するБусла́евの大著『ロシア民族の文学と芸術に関する史的概観』に大地と聖母との融合というテーマを見出すことができる。私は1983年キエフの第9回国際スラヴィスト会議で「Земля́-Богоро́дица-Софи́я」という研究を発表し、私の研究発表のあとソ連科学アカデミーのチストーフ氏が発言の機会を要求し、日本の研究の水準の高いことを歓迎する、と言ってくれて、大変自信になった。

（「読売新聞」1983年11月1日付けを参照）

♠вы から ты へ

ラスコーリニコフの無言の告白を受けたソーニャの反応は深い同情の表情だった。彼女はラスコーリニコフが驚くほどの変容を遂げる。第15課でみたように、このヒロインは他の場面ではラスコーリニコフに вы で話しかけている。当時、大学生はまだ少なく、貧しい庶民からは尊敬を込めて話しかけていた。ラスコーリニコフの告白を受けたソーニャは、ты と呼びかける。彼女はラスコーリニコフの苦しみに共感し、同じ位置に立っているか、または我を忘れて何かに「憑

かれた」ように「大地への接吻」をすすめる。彼女の息遣いは原文を読むことの醍醐味だろう。
♠無人称文 что дéлать？なぜは繰り返されるのか？
無人称文の主体は与格で表され、動作は動詞の不定形であらわされ、「そうあるべき」「なすべき」というような当為を表す。
ロシア文学はこの問いにあふれている。
ドストエフスキイと同じ時代のチェルヌィシェフスキイ Чернышéвский は『何をなすべきか Что дéлать』を、また Лев Толстóй も『われら、何をなすべきか Что нам дéлать』という文章を書いている。
♠なぜ「四方」に頭を下げるのか？「4」と「3」と「7」
四方「東西南北」は人間の世界を意味する。これは東洋でも世界を表わす数である。
これに対してキリスト教圏では「3」という数字は「父」と「子」と「聖霊」を表わす神の世界の数である。ラスコーリニコフの殺人が行われたのは、第7時（6時過ぎのことをこのように表現する）だった。ラスコーリニコフは斧のひと振りで、「人間の世界」と「神の世界」を「たたき割ってしまった расколóть топорóм」。この2つの世界の繋がりを取り戻すためには「7」年の刑期が必要となる。
また、「7」は天地創造の7日間にも通じる。しかし、スヴィドリガイロフはなぜ「7」年間の結婚生活を送ったのだろう？

【日本では】

♥わたしは一瞬、めまいを起こした。既視感におそわれた。伊坂幸太郎の小説『グラスホッパー』（2004年）を読んでいた時のことだ。引用が長くなるが、ここで「鯨」というのは殺人を請け負う主人公で、『罪と罰』しか読まない。

> 女性議員は遺書を書き終えて後で、鯨と向かい合い、その身長差のために見上げるようにしながらも、感情を抑えながらこういった。
> 「十字路へ行って、みんなにお辞儀をして、大地に接吻しなさい。だって、あなたは大地に対しても罪を犯したんですもの。それから世間の人々に向かって大声で、『わたしは人殺しです』と言いなさい」
> その瞬間、鯨は目を見開き、ひどくたじろいだ。彼女の台詞の内容に心を打たれたわけではない。その台詞が、鯨にとって唯一の小説とも呼べる、あの本からの引用であることであることに驚いたのだ。

♥武田泰淳は1947（昭和22）年に「進路」8月から10月に『蝮のすゑ』を執筆する。敗戦直後の上海を舞台に、ドストエフスキイとの関わりがきわめてはっきりと、主人公がラスコーリニコフのように斧を持って殺人に出かける、という物語として描かれることになる。
「『この部屋は罪と罰のラスコルニコフの住みそうなところだな』と、かつてAは私に語った。『そうつと斧を持って出かけて行ってさ。またそうっと誰にも知られないように帰って来るのさ』」（55ページ）。
「私は煉炭の箱の上にある斧をすばやく手に取り、外套のポケットに入れた」（56ページ）。
「私は斧と、肉切刀を外套のポケットにしまって帰った。その二つの刃物の血を、私はラスコルニコフのしたように、水で洗い落とした。砂でこすり、また洗った」（58ページ）。

第21課　ポルフィーリイとの対話

Ко́ли сде́лали тако́й шаг, так уж крепи́тесь. Тут уж справедли́вость. Вот испо́лните-ка, что тре́бует справедли́вость. Зна́ю, что не ве́руете, а ей-Бо́гу, жизнь вынесет. Самому́ по́сле слюбится. Вам то́лько во́здуху на́до, во́здуху, во́здуху!

Раско́льников да́же вздро́гнул.

— Да вы-то кто тако́й, — вскрича́л он, — вы́-то что за проро́к? С высоты́ како́го э́то споко́йствия велича́вого вы мне прему́дрствующие проро́чества изрека́ете?

— Кто я? Я поко́нченный челове́к, бо́льше ничего́. Челове́к, пожа́луй, чу́вствующий и сочу́вствующий, пожа́луй, кой-что́ и зна́ющий, но уж соверше́нно поко́нченный. А вы — друга́я статья́: вам Бог жизнь пригото́вил (а кто зна́ет, мо́жет, и у вас так то́лько ды́мом пройдёт, ничего́ не бу́дет). Ну что ж, что вы в друго́й разря́д люде́й перейдёте? Не комфо́рта же жале́ть, вам-то, с ва́шим-то се́рдцем? Что ж, что вас, мо́жет быть, сли́шком до́лго никто́ не уви́дит? Не во вре́мени де́ло, а в вас само́м. Ста́ньте со́лнцем, вас все и уви́дят. Со́лнцу пре́жде всего́ на́до быть со́лнцем. Вы чего́ опя́ть улыба́етесь: что я тако́й Ши́ллер?

(第6部第2章)

【単語】

ко́ли＝коль（旧・俗語）＝е́сли もしも　крепи́ться《不完のみ》元気を出す　вы́нести《完》運び出す、前に運ぶ、助ける（《不完》は выноси́ть）ей Бо́гу = Пусть всё бу́дет хорошо. 何もかもうまくいきますように（祈念）　слюби́ться《完》愛し合う（俗語）、気に入る（旧）（《不完》は слюбя́ться）　что за＋主格 いかなる、どんな　высота́ 高さ　велича́вый 威厳のある、威張った　прему́дрствующие → прему́дрствующий → прему́дрствовать《不完》「利口ぶる」の能動形容詞現在　проро́чество 予言　изрека́ть《不完》言う（旧）、おごそかに言う（皮肉）（《完》は изре́чь）

「あのような第一歩をおこなったからには、しっかりすることです。そこにこそ正義があるのです。さあ、正義が要求するように実行しなさい。あなたが信じていない、ということは分かっています。でも、何もかもがうまくいくでしょう。生きる力が前に運んでくれるでしょう。あとになったら、自分から気にいることでしょう。いまあなたに必要なのは空気です、空気です。そう、空気ですとも!」

ラスコーリニコフはぞくりと身を震わせた。

「いったい、あなたは何者なんです」と彼は叫んだ。「あなたのほうこそ、どんな預言者なんです？　高みに立って、落ち着き払って、偉そうにご託宣を垂れておられるあなたは？」

「私が、ですって？　私はピリオドを打たれてしまった人間なんですよ。それ以上の何者でもない。まあ、言ってみれば、何かを感じたり、同情したり、それにまあ、多少はものを知っている人間ですかね。でもすっかりピリオドを打たれてしまった人間です。ところがあなたのほうは、別です。神が生きる力を用意してくれています。（でも、もしかしたら、あなたの場合も、煙のように通り過ぎて、なんにも残らないかも知れない。それは誰にも分からないんです。）あなたがもうひとつの部類の人間に、乗り換えたとしても、どうってことはない。あなたのような心を持った人は、楽しみを失ったとしてももったいないとは思わないでしょう。もしかするとあんまりにも長い期間、誰もあなたに会わないかも知れません。しかし時間の問題ではありません。あなた自身の内面の問題です。太陽になりたまえ。みんながあなたを見るでしょう。太陽に必要なことは、太陽になることです。また笑顔になった。わたしがこんなにシラーっぽいから、かね？」

【単語】

поко́нченный → поко́нчить《完》「終える、終止符を打つ」の被動形動詞過去
чу́вствующий → чу́вствовать《不完》「感じる」の能動形動詞現在（《完》は почу́вствовать）　сочу́вствующий → сочу́вствовать《不完》「同情する」の能動形動詞現在　статья́ 論文、記事、項目（例 осо́бая статья́ まったくの別問題）де́ло 問題となること（例 де́ло в том, что 実は、問題は）

【鑑賞の手引き】

♠премýдрствующие прорóчества изрекáете

「予審判事」という職業はこのころの司法制度の改革によって新しく設置されたばかりで、時の話題であった。「予審判事は多少とも警察や検事から独立のものとされ当初は恒久的な身分保障が意図されていた。実行段階では法務省が任期の期限を切った方が統御しやすく賢明であると考えたのだった。小説に登場する忘れがたき予審判事はドストエフスキイの『罪と罰』のなかの、「心理学」を駆使して殺人犯人ラスコーリニコフを自白に導くポルフィーリイ・ペトローヴィチである」(R. ヒングリー『19 世紀ロシアの作家と社会』川端香男里訳、平凡社、1971 年)。

なお、杉里直人氏によると「司法取調官」とするのが正しい。(杉里直人「『カラマーゾフの兄弟』における《貶められ辱められた子ども》の絶望と救済」の注を参照。『ドストエーフスキイ広場』第 26 号 2017 年に掲載されている。ここでは、これまでの用語を踏襲する)。

このエリート同士の会話の調子には難しい表現が使われる。現在のロシア語辞典 Толкóвый словáрь рýсского языкá. М., 2007.では изрéчь は произнестú, сказáть とあり、「旧い」表現であり、「皮肉な調子で使う」とされている。

♠「太陽のイメジャリ」

「太陽」は「創造者、霊、精神」表わす。キリスト教では神の「息子」キリストを表わす。

♠ドストエフスキイとシラー

これまでの「比較文学派」の研究史の中でその影響関係が明らかにされてきたドストエフスキイにとっての重要な先行者としては 5 人の作家の名前を挙げることができるだろう。バルザック、ディケンズ、ホフマン、そしてシラー、ゲーテである。

ドストエフスキイとシラーの最初の出会いは、1832 年、すなわち作家が 10 歳(1831 年)の時だ。ドストエフスキイは後年、10 歳の時のことを思い出している。

「美しきものは子供時代には必要欠くべからざるものです。10 歳の時にわたしは、モスクワでシラーの『群盗』(1781 年作)をみました。モチャーロフ主演でした、誓っていいますが、これは当時の印象のうち、もっとも強いもので、僕の精神面にとても有意義な作用を及ぼしました」(1880 年 8 月 28 日付 オズミドフ宛)。

♠さらに 29 歳になったドストエフスキイは熱狂的な手紙を 1840 年 1 月 1 日に兄ミハイル宛に次のように書いている。「兄さん、あなたは僕にシラーを読んでいない、と書いていますね。とんでもない間違いですよ。僕はシラーを暗記しました。彼の言葉で語り、彼の言葉でうわごとを言っているのです。高潔な炎のごときドン・カルロスも、ポーザ侯爵も、モーティマーも検証したのです。シラーの名は、僕にとって肉親のような、限りない空想を、魔法めいた空想を呼び覚ます、魔法めいた響きになりました。僕はシラーの名を聞くだけでも胸が痛みます」。

♠19 世紀に予言された「自由の重荷」

だが、1880 年のイワン・カラマーゾフの「大審問官伝説」では、シラーの作品をあとづけながら、シラーにはなかった、キリストに対する 3 つの試しとしてドストエフスキイは人間にとっての「自由の重荷」という問題を立てる。

18 世紀は自由を謳歌する時代だった。19 世紀に生きたドストエフスキイは、「自由の重荷」を見出した。それは 20 世紀の現実を予言した。エーリヒ・フロム『自由からの逃走』(1930 年) を参照。

♠『ドン・カルロス』(1778 年) から『カラマーゾフの兄弟』(1880 年) へ

この 1 世紀の間に何が起こったのか?

イワン・カラマーゾフの抱く、大審問官制度からの解放、自由へのメッセージを人々は受け取った。

1989 年に解体間近のソ連モスクワの街頭で、ドストエフスキイ 30 巻全集の『カラマーゾフの兄弟』の「大審問官詩劇」の箇所がコピー版で安く売られているのに遭遇した。「権力と自由」の問題だった。自由を抑圧する「大審問官制度」(それは 20 世紀のソ連の人々にとってはスターリニズム) だ。その「自由」へのアピールを、街角でおそらく採算を度外視して 1989 年の「ソ連」の人々は販売していた。

【日本では】

「ドストエフスキイの『罪と罰』に、ポルフィーリイなる判事が、殺人犯をじわりじわりと追い廻し、問い詰めるくだりがある。ほとんど証拠別件がないのだが、いやらしいほどの執拗さと慇懃さで犯人に喰らいつく過程は圧巻だ。

じつはぼくはむかしある劇団に所属していて、その劇団が『罪と罰』を劇化して上演したのである。そのときのポルフィーリイ判事もやはり印象的だった。

コロンボ刑事のキャラクターの土台が、このポルフィーリイ判事だと聞いて僕はハタと膝を打ったのだ。もちろんヨレヨレのコートやカミさんの話は、その性格の味付けとして抜群だが、それにしても、古典はテレビのすばらしいヒントを提供してくれたものである」(R. レビンソン、W. リンク、笹村光史訳『刑事コロンボ・自縛の紐』二見書房、表紙カバー袖、手塚治虫「わたしのコロンボ」より)。この説をもとに追跡したロシア文学者桜井厚二氏によるとコロンボの作者たちが次のように証言しているという。「警部補コロンボのキャラクターもやはり決まった文学的原型を持っていた。我々が特に影響を受けたと、意識していたのは、主として 2 つの影響だった。謙虚さを、ブラウン神父から。またこびへつらうようなマナーはドストエフスキイの『罪と罰』に登場するペトローヴィチからとった。ポルフィーリイ「あなたはわたしなんかと違って、ずっと華やかな暮らしをしておられる。わたしはしがない、うだつの上がらない役人ですよ」(Mark Davidzik. The Columbo File, Mysterous Press, 1989)。

第22課　スヴィドリガイロフの役割

Вдруг она́ отбро́сила револьве́р.

— Бро́сила! — с удивле́нием проговори́л Свидрига́йлов и глубоко́ перевёл дух. Что́-то как бы ра́зом отошло́ у него́ от се́рдца, и, мо́жет быть, не одна́ тя́гость сме́ртного стра́ха; да вряд ли он и ощуща́л его́ в э́ту мину́ту. Э́то бы́ло избавле́ние от друго́го, бо́лее ско́рбного и мра́чного чу́вства, кото́рого бы он и сам не мог во всей си́ле определи́ть.

Он подошёл к Ду́не и ти́хо о́бнял её рукой за та́лию. Она́ не сопротивля́лась, но, вся трепеща́ как лист, смотре́ла на него́ умоля́ющими глаза́ми. Он было хоте́л что-то сказа́ть, но то́лько гу́бы его́ криви́лись, а вы́говорить он не мог.

— Отпусти́ меня́! — умоля́я сказа́ла Ду́ня.

Свидрига́йлов вздро́гнул: э́то *ты* бы́ло уже́ ка́к-то не так проговорено́, как да́вешнее.

— Так не лю́бишь? — ти́хо спроси́л он.

Ду́ня отрица́тельно повела́ голово́й.

— И... не мо́жешь?.. Никогда́? — с отча́янием прошепта́л он.

— Никогда́! — прошепта́ла Ду́ня.

Прошло́ мгнове́ние ужа́сной, немо́й борьбы́ в душе́ Свидрига́йлова. Невырази́мым взгля́дом гляде́л он на неё. Вдруг он о́тнял ру́ку, отверну́лся, бы́стро отошёл к окну́ и стал пред ним.

(第6部第5章)

【単語】

отбро́сить《完》投げ捨てる（от＋бро́сить）проговори́ть《完》言う、口にする（《不完》は проговáривать）（＝сказа́ть, произвести́）вряд ли とても〜まい、疑わしい избавле́ние от＋ 生格 救出、解放、救済（избави́ть＝спасти́, освободи́ть）та́лия ウェスト（у́зкая часть ту́ловища ме́жду гру́дью и живо́том）

モチーフ「愛はないの？ いつになっても？」

突然に、彼女はピストルを投げ出した。

「捨てた！」スヴィドリガイロフは驚いて声を上げ、深く息をついた。まるで何かが彼の心臓からいっぺんに離れて行ったようだった。それはただ死の恐怖からくる重苦しさだけではなかった。そう、この瞬間、彼は死ぬことの恐怖をほとんど感じていなかった。彼は恐怖の感覚を持たなかった。何か恐怖とは違う、もっと悲嘆に満ちた、陰鬱な感情で、彼自身でも、それが何であるか定義することの難しいものから解き放たれたのだ。

彼はドゥーニャに近寄り、片手でそっとウエストを抱いた。彼女は拒否しなかった。しかし、全身を木の葉のように震わせ、彼の顔をすがるような目で見つめた。彼は何か言おうとしたが、しかし唇が歪んだだけで、言葉を言うことはできなかった。

「あたしを離して！」ドゥーニャは懇願するように言った。

スヴィドリガイロフはびくりと身体を震わせた。この親しみのこもった言い方には、さっきまでの口調とは違うものが響いていた。

「じゃあ、愛はないの？」そっと尋ねた。

ドゥーニャは、いいえ、というように頭を振った。

「そして、愛することはできない？　いつになっても？」ささやきには絶望が響いていた。

「いつになっても」ドゥーニャもささやいた。

恐怖に満ちた無言の闘いがスヴィドリガイロフの心の中で続いた。なんとも言えないまなざしで彼は見た。彼はいきなり手を離すと、くるりと向きを変え、窓の方に歩いて行った。そしてその前に立った。

【単語】

умоля́ющими → умоля́ющий → умоля́ть《不完》「懇願する」（例 умоля́ю どうかお願いだから）の能動形動詞現在（懇願するような） проговорено́ → проговорённый → проговори́ть《完》「しゃべる」の被動形動詞過去短語尾 да́вешний さきほどの повести́ + 造格《完》動かす、振る

【鑑賞の手引き】

♠『罪と罰』連載のありさまとスヴィドリガイロフの役割

この小説は『ロシア報知』誌に1866年に8回にわたって連載された。その連載のありさまは、現在の章立てで表すと以下のようになる。

1月号 第1章

2月号 第2章

4月号 第3章「お見知りおきください。スヴィドリガイロフです。」★

6月号 第4章1節－4節「スヴィドリガイロフは盗み聞きのための椅子をわざわざ運んだのだった」★

7月号 第4章5節－6節および第5章1節－3節「ラスコーリニコフはソーニャの住まいに向かった。

8月号 第5章4節－5節「スヴィドリガイロフは『わたしたちはうまくやっていけますよ』と言う」★

11月号 第6章1節－6節、「スヴィドリガイロフは引金を引いた」★

12月号 第6章7節－8節およびエピローグ

9月と10月が空いているのは、10月のまるまる1ヶ月、『賭博者』の口述筆記にあてていたからで、その筆記者のアンナと『罪と罰』完成後すぐに結婚したことはよく知られている。11月号執筆以後は、前の晩に口述筆記してからアンナが整理したものに、作家が次の日に手を入れて完成する、という方式に変わった。そう思ってみると、11月号以降に、文体が平明になったという印象がある。小説のプロットにも、なんらかの影響を与えているのではないかと私は密かに考えている。特に11月号掲載分は、「スヴィドリガイロフは引金を引いた」以降はスヴィドリガイロフのいない世界になってしまう。(ドストエフスキイでは口述筆記のほうが、モノローグになる、むしろ孤独な部屋の中にポリフォニーは鳴り響く、というパラドクス)。

♠スヴィドリガイロフの影

連載の各回の終わりの部分にスリットを入れて、どんな形で連載が行われたのかを調べてみると、気づくことがある。スヴィドリガイロフが謎めいた姿を見せるところで切れている回が多いのだ(★を付けてみた)。8回の連載のうち、4月号で登場し、11月号で退場するまで、5回中4回がスヴィドリガイロフで終わる。雑誌連載に当たって、謎の人物として提出し、読者の次号への興味を引くための連載のテクニックとも言える。日本の流行作家が、ある講演会で、流行作家なら「ここが連載の切れ目だな、とわかる」と語った。スヴィドリガイロフは"狂言回し"の役割を演ずると同時に、『罪と罰』の世界に緊張感を与えている。あるいはポリフォニーの対話という重要な役割を担っているというべきか。日本の現代作家が、「自殺しないスヴィドリガイロフを書きたい」ということにも共感できる(この課の【日本では】を参照)。

♠スヴィドリガイロフは、初めは別の小説の主人公として構想されていた。紹介しよう。

「父はセヴァストーポリで戦った。すべてを浪費した。僅かな年金。娘と二人の息子。弟(飲んだくれの居候、性格、語り手)。兄は病んで、みんなを養っている。弟は堕落したスヴィドリガイロフ。スヴィドリガイロフは45歳。16歳の富裕な娘と結婚したいと考えている。父と事件がある。娘を買い、拒む。友人であり続ける(それは自殺を欲している当の人物、デーモン、強い情欲、言う)。弟を叱り(金を与え)、娘を誘惑する。彼と比べてよりよいとされフィアンセになった男が、彼女を上司に提供しようとしていることを暴露する。兄の妻(ニヒリストたちの中へ)。娘はスヴィドリガイロフと結婚する。自分から。(スヴィドリガイロフは居候を殺す。路上で一人の子どもと友人になる)。転回。カタストロフ。

(堕落した若い男に職業を。作りだすこと)

彼らのうちの誰かが、遺産を受け取る」

これは、第3の創作ノートの始め(12ページ)に書かれたものだが『罪と罰』の下書きと断定するには不安定である。以後第3の創作ノートの67ページまで、びっしりとスヴィドリガイロフに関するメモで埋め尽くされている。

♠動揺を重ねる人間の愛の形に、ラスコーリニコフの側からの「神のもとに赴くような渇望と、ソーニャの側からのいわば神のごとき慈愛」。創作の過程において、小説の構造がこのように紋切型に集約されていった、ちょうどその時に、新しい形象スヴィドリガイロフが成長を始める。思想家としては二流だが、ここが文学者としての面目躍如いうところ。『罪と罰』創作史の重要な転換点がある。ラスコーリニコフの内部にあった「ニヒルなるもの」が作中人物として人格をあたえられた、ということか?　これが『カラマーゾフの兄弟』たちへと複数の主人公に発展してゆくか?

創作ノートによれば、ラスコーリニコフとソーニャの復活物語の形が整った瞬間に、急遽、スヴィドリガイロフの人物像が、こちらの小説に呼び込まれた。スヴィドリガイロフの人物像は、他の人物像と同様に自立している。そしてラスコーリニコフとの対話の形で発展してゆく。例えば——

「ラスコーリニコフ、スヴィドリガイロフに。ふむ。ところでソーニャはあなたにどんな印象を呼び覚ましますか、等。

スヴィドリガイロフ。このうえなく美しい人々の、そして欺かれた人々の印象をね。そしてそのためにさらに憂鬱になります(さびしくなります)」。

【日本では】

日本の「ドストエーフスキイの会」では「ドストエーフスキイ研究」という雑誌を出していたが、第Ⅲ号で現在活躍している作家たちに「現代小説に関する3つの問」と題するアンケートを行った(1986年3月)。

問の1は「現在のあなたの創作現場において、ドストエフスキイの文学はどのようなインパクトをもっていますか」というものだった。島田雅彦氏は次のように答えてくれた。

「登場人物の造形や小説のポリフォニックな構成を学んでいます。自殺しないスタヴローギンやスヴィドリガイロフを書いてみたいと思っています」。

また、このアンケートで三田誠広氏は「基本的に自分の仕事はドストエーフスキイの延長上にあると考えています。ただし、ドストエーフスキイがかかえていた「神」の問題は、「現代的な課題に変換する必要があります。従って当然、物語の作り方や文体も変わってくるはずです」との答えだった。

第23課　十字架の象徴的意味

Со́ня мо́лча вы́нула из я́щика два креста́, кипари́сный и ме́дный, перекрести́лась сама́, перекрести́ла его́ и наде́ла ему́ на грудь кипари́сный кре́стик.

— Э́то, зна́чит, си́мвол того́, что крест беру́ на себя́, хе-хе! И то́чно, я до сих по́р ма́ло страда́л! Кипари́сный, то есть простонаро́дный; ме́дный — э́то Лизаве́тин, себе́ берёшь, — покажи́-ка? Так на ней он был... в ту мину́ту? Я зна́ю то́же подо́бных два креста́, сере́бряный и образо́к. Я их сбро́сил тогда́ старушо́нке на грудь. Вот бы те кста́ти тепе́рь, пра́во, те бы мне и наде́ть... А впро́чем, вру я всё, о де́ле забу́ду; рассе́ян я как-то! ...Ви́дишь, Со́ня, — я, со́бственно, заче́м пришёл, что́бы тебя́ предуве́домить, чтобы ты зна́ла... Ну вот и всё... Я то́лько зате́м ведь и пришёл. (Гм, я, впро́чем, ду́мал, что бо́льше скажу́.) Да ведь ты и сама́ хоте́ла, чтоб я пошёл, ну вот и бу́ду сиде́ть в тюрьме́, и сбу́дется твоё жела́ние; ну чего́ ж ты пла́чешь? И ты то́же? Переста́нь, по́лно; ох, как мне э́то всё тяжело́!

(第6部第8章)

【単語】

брать《不完》取る、負う беру́, берёшь...（《完》は взять）　покажи́-ка, -ка は命令法または間投詞、場所の副詞などに対して、口調を和らげ促しの印象を与える。образо́к 聖像　сбро́сить《完》投げ落とす（《不完》は броса́ть）　кста́ти ちょうどいい時に　предуве́домить《完》予告する

モチーフ「苦しみが足りない！」

ソーニャは黙って箱の中から二つの十字架を取り出した。糸杉のものと銅製のものだ。彼女は自分に十字を切ると、彼にも十字を切って、彼の胸に糸杉のほうをかけてやった。

「これはつまり十字架を負うことを表す象徴なんだね。へ、へ！そのとおり、僕には今まで苦しみが足りない！　糸杉のは一般民衆用で、銅のはリザヴェータのだ。それは自分でかけるんだね。よく見せて？ それじゃあ、これが彼女の上にあったんだね…あの時に？ 僕も同じような十字架を知ってる。銀製のと、聖像の付いたのと。僕はあの時、ばばあの胸の上に、捨てた。いまちょうどあれがあったらよかったのだけど、ほんとうにあれを僕がかけるとよかったんだ…それはそうと、僕はでたらめばっかり言っていて、肝心なことを忘れるところだった。なんだか考えがまとまらない！ いいかい、ソーニャ、僕がきみのところへ寄ったのは、君に予告するため、君に知ってもらうためだ… それだけだ… 僕はただそのために寄ったんだ（ふうむ、それにしても自分がもっと話すと思っていた）。だって君自身が自分で望んだことだし、僕が収監されることになれば、君の希望も実現するわけだ。いったいなんだって泣いているんだ。君も、やっぱり？　もうおやめ。たくさんだ。何もかもがなんて苦しいんだ！

◆正教で用いられる十字架には、8か所の端（角）のある「八端十字架」（はったんじゅうじか）と呼ばれるものがある。十字架の上部、下部の棒が特徴であるが、上部にある短い横棒はキリストの罪状が記された札を示しており、下部の斜めの棒は足台とされる。下部の棒が斜めになり両端の高さが異なるのは、キリストと並んで左右の十字架にかけられた盗賊たちのその後を物語っている（キリストの左側の盗賊は最後まで悔い改めないまま地獄へ、右側の盗賊は悔い改めて天国へ向かった）。

【鑑賞の手引き】

♠кипари́сный は特別の連想が湧くものかと Ру́сский ассоциати́вный слова́рь.（2002 年刊。本書第 11 課を参照）で調べたが、стро́йный2, высо́кий, то́нкий1 という結果だった。この辞書はキリスト教文化に触れることが少なかった現代ロシアの若者を対象としているので、この結果になっているとも考えられる。しかし私の調べたところでは、南部ヨーロッパではイトスギは「死・喪」の、また「生命、豊穣」「死後の生命、復活、不死」の象徴とされており、イエス・キリストが磔にされた十字架は、この木で作られたという伝説がある。南ヨーロッパの国々を旅行すると墓地に糸杉が植えられている光景を目にする。

これに対して、北部ヨーロッパには常緑樹イトスギは育たない。植生のちがいが反映されている。

♠副詞 мо́лча の起源は молча́ть の不完了体副動詞で、複数 3 人称の-ут,-ют,-ат,-ят の代わりに я（ш, ж, ч,щ の後では а）を置く。なお、アクセントは複数 3 人称で語尾の前に母音があればそのまま、子音があれば я（а）の上にくるのが決まったかたち。しかし мо́лча のように副詞としての意味が強くなった場合はアクセントの位置が語幹に移った（第 3 課参照）。ほかの例としては、

сиде́ть → си́дя 「着席して、座ったまま」

стоя́ть → сто́я 「立ちながら、垂直に」

♠бы と что́бы（接続法）

бы は不変化の助詞で、母音で終わる語の次では、б ともなる。条件法または仮定法または希望法ともいい、бы は пра́во, те бы мне и наде́ть 全体に仮定その他のニュアンスを与える。位置は文の先頭の語の次に来ることが多い。

Е́сли бы Толсто́й был ры́бой, то пла́вал бы, коне́чно в океа́не...

もしもトルストイが魚であったとしたら、もちろん大洋で泳いだであろう…

что, е́сли, как, когда́, хотя́, хоть などの接続詞とむすぶことが多く、что́бы (чтоб) などは 1 語になっている。また、従属節では通常の動詞の直後に位置する（ただし、従属節の主語が主節の主語と同じであるときは、従属節の主語は省き、動詞は不定形になる。

заче́м пришёл, что́бы тебя́ предуве́домить, что́бы ты зна́ла…

なぜ寄ったのか、きみに予告するため、きみが知っているように

希望を表わすとき、不定形と бы の方が積極的。過去形と бы は湧いてきた気持ちを表すだけで、意志はごく少ない。

Посиде́ть бы на берегу́ мо́ря. 海岸にすわりたい。

Я посиде́л бы на берегу́ мо́ря. 海岸にすわってみたいものだな。

♠十字架をめぐって

「十字架」は、イエスの時代の処刑に使われた道具であり、イエスの十字架での処刑は「磔刑」とされ、当時もっとも過酷な処刑の方法であった。キリスト教で「十字架を負う」ということは、「すべてを捨てて自己を放棄して、神に従う」ということとされる。

聖書でも「十字架を背負う」または「十字架を担う」という表現がいくつか見られる。

▼小さな頃から、ロシアの人々は、十字架を目にする。母からの手紙によるとロジオンも母に抱かれて十字の形に干しブドウがのったお菓子を食べていた。（本書「『罪と罰』カレンダー」を参照）

▼「ルカによる福音書」第 14 章 27 節には

「自分の<u>十字架を負うて</u>わたしについて来るものでなければ、私の弟子となることはできない」と書かれている。

▼「マタイによる福音書」第16章24節では、
「だれでもわたしについてきたいとおもうなら、自分を捨て、自分の十字架を負うて、わたしに従ってきなさい」と書かれている。

ラスコーリニコフは「僕には今まで苦しみが足りない」と言って自嘲的に「へ、へ！」と笑う。ラスコーリニコフが聖書の言葉を知っていた。彼は知っているから、「へ、へ！」と自嘲しているのだろう。なぜここでラスコーリニコフは聖書の言葉を「へ、へ！」と笑うのか？ 彼の自我の話は固く容易に破られない。

♠ソヴィエト時代の「胸にかけた十字架」

十字架を胸にかけることはソ連（ソヴィエト・イデオロギー）時代には危険なことであった。当時、体制側の雑誌『外国文学 Иностра́нная литерату́ра』の編集部に勤めていた私の友人コーリャは「たぶん、編集部の食堂かどこかで、胸元の十字架を見られたんだろう。信者として誰かに密告されて、東欧諸国でさえも国外出張できなくなった」（下線は井桁）と怒り悲しんでいた。

コーリャというこの友人は、共同住宅の部屋 коммуна́льная に呼んで、二重窓の間にカーテンで隠したイコン（聖像画）を見せてくれた。ここまで私に心を開いてくれるのには、何か月もかかった。警戒心が解けるのに、自分は反体制派であることを知らせていかなければならない。その 1 年後にモスクワに行った時、偶然にコーリャに会った。編集部を「政治的立場に問題がある」として追われ、モスクワ近郊に転居せざるを得ず、その日は偶然にモスクワの本屋に買い物に来た、という。

1 年前にはコーリャはドストエフスキイを評価していたが、この時には「ドストエフスキイには不純物が混ざっている。今、自分は聖書と教父たちの書いた文書にしか興味はない」と言っていた。彼に会ったのはこれが最後だった。ペレストロイカ以前にも反体制派はいた。孤立して戦いを強いられていた。

【日本では】

黒澤明監督が『白痴』の映画化をおこなったことは、第 16 課の【日本では】で触れた。『白痴』の原作では、嫉妬から殺意を抱くロゴージンが「おまえの十字架と俺の十字架とを交換しよう」と言う。十字架の交換は殺意を実行に移さないですむ。深い信頼を表わす。そのように考えるセクトがあっても不思議ではない。黒澤監督はその象徴的な意味を日本の観客に伝えるために、「十字架の交換」を「古ぼけた金襴のお守り」と、「亀田（ムイシキン）が銃殺される直前に、つかんでいた石」との交換という演出に変えている。

「お守り」というものは神社で売っている、日本文化のなかに位置付けられるとすれば、十字架とは違う意味をもつことになる。赤間伝吉の母がお茶を振る舞うのは見ようによっては「茶の湯」であり、室町時代にその発生展開をみた生活の一場面だ。熱にうなされた伝吉は、たとえば「阿弥陀二十五菩薩来迎図」（善人の死後に菩薩が迎えに降りて来るという来迎図）を幻視しているのではないか。こうしてみると、大乗仏教を、バックにもっている。黒澤の『白痴』は、ドストエフスキイの『白痴』のプロットをかりつつ、キリスト教と、仏教、それに神道までも融合させようとする試みであったのだろうか？こんな誇大妄想的な考えが浮かんでくるのだが。

第24課　シベリアで見る夢

Все бы́ли в трево́ге и не понима́ли друг дру́га, вся́кий ду́мал, что в нём в одно́м и заключа́ется и́стина, и му́чился, гля́дя на други́х, бил себя́ в грудь, пла́кал и лома́л себе́ ру́ки. Не зна́ли, кого́ и как суди́ть, не могли́ согласи́ться, что счита́ть злом, что добро́м. Не зна́ли, кого́ обвиня́ть, кого́ опра́вдывать. Лю́ди убива́ли друг дру́га в како́й-то бессмы́сленной зло́бе. Собира́лись друг на дру́га це́лыми а́рмиями, но а́рмии, уже́ в похо́де, вдруг начина́ли са́ми терза́ть себя́, ряды́ расстра́ивались, во́ины броса́лись друг на дру́га, коло́лись и ре́зались, ку́сали и е́ли друг дру́га. В города́х це́лый день би́ли в наба́т: созыва́ли всех, но кто и для чего́ зовёт, никто́ не знал того́, а все бы́ли в трево́ге. Оста́вили са́мые обыкнове́нные ремёсла, потому́ что вся́кий предлага́л свои́ мы́сли, свои́ попра́вки, и не могли́ согласи́ться: останови́лось земледе́ние. Ко́е-где лю́ди сбега́лись в ку́чи, соглаша́лись вме́сте на что́-нибудь, кля́лись не расстава́ться, — но то́тчас же начина́ли что́-нибудь соверше́нно друго́е, чем сейча́с же са́ми предполага́ли, начина́ли обвиня́ть друг дру́га, драли́сь и ре́зались. Начали́сь пожа́ры, начался́ го́лод. Все и всё погиба́ло. Я́зва росла́ и подви́гались да́льше и да́льше. Спасти́сь во всём ми́ре могли́ то́лько не́сколько челове́к, э́то бы́ли чи́стые и и́збранные, предназна́ченные нача́ть но́вый род люде́й и но́вую жизнь, обнови́ть и очи́стить зе́млю, но никто́ и нигле́ не вида́л э́тих люде́й, никто́ не слыха́л их слова́ и голоса́.

(エピローグ第2章)

モチーフ「人びとは意味のない悪意にかられて互いに殺し合った」

人々は、一人残らず不安にかられ、お互いのことが理解できないでいた。あらゆる人が、自分だけに真実は宿っていると考えて、他の人を見ては、苦しみ、わが胸をたたき、涙を流し、両手をもみしぼった。誰をどのようにして裁けばよいのか分からず、何が悪で何が善であるか、意見がまとまらなかった。誰を罪びととし、誰を正しい人として擁護すべきか、分からなかったのだ。人びとは意味のない悪意にかられて互いに殺し合った。お互いに相手を滅ぼすために大軍となって集まったが、軍隊は行軍している時から早くも突然切り合いを始め、隊列は乱れ、兵隊たちは互いに襲いかかり、刺し合い、斬り合い、噛み合い、食らい合った。都市では一日中警鐘が鳴り響き、皆が集められたが、誰がなんのために呼んだか、誰ひとりとして知らず、皆が不安の中にあった。何よりも決まり切った仕事も放っておかれた。どんな人も自分のかんがえや、修正案を持ち出しては、同意することができないのだった。農業も停止した。そこここに人々は群れをなした。なにかに賛成し、もう分裂はすまいと誓約するのだが、…しかしすぐさま今決めたばかりのこととまったく別のことを始め、互いを非難し、殴り合い、斬り合うのだった。そこここに火の手が上がり、飢饉が始まった。人もものも全てほろびつつあった。疫病はますますはびこっていった。全世界で災いをのがれたものはわずかな人々で、清い、選ばれた人々だった。その使命は、新しい種族と新しい生活を作り、大地を更新し、清いものとすることだった。しかし誰もこの人々を見たことはないし、誰も彼らの言葉と声を聞いたものはなかった。

【単語】
в трево́ге и не понима́ли 人々は不安のなかで理解しなかった лома́ть себе́ ру́ки 手を揉み絞る（悲痛、困惑の表情）расстра́иваться《不完》隊形が乱れる（《完》は расстро́иться）коло́ться 《不完》刺し合う куса́ться《不完》噛み合う наба́т 警鐘、古代ロシアの軍鼓（бить в наба́т 警鐘を鳴らす） созыва́ть《不完》召集する（《完》は созва́ть）ремёсла → ремесло́「型にはまった仕事」の複数形 останови́ться《完》停止する（《不完》は остана́вливаться） ку́ча 人や動物の雑然たる塊 сбега́ться《不完》駆け集まる（《完》は сбежа́ться）кля́сться《不完》（+ 不定形）…しようと誓約する дра́ться《完》殴り合う я́зва 疫病（旧） предполага́ть《不完》するつもりである（《完》は предположи́ть）

【鑑賞の手引き】

♠ドストエフスキイの『新約聖書』(書き込みについて)
『新約聖書』の「ヨハネの黙示録」には 3 つの単語が赤いインクでドストエフスキイによって書き入れられている。
❶ 第 13 章 11 節「わたしはまた、ほかの獣が地から上って来るのを見た。それには小羊のような角が二つあって、龍のように物を言った」のところに「Социал.」(ソーシャリズム;社会主義)
❷ 第 17 章 9 節「ここに、知恵のある心が必要である。七つの頭は、この女のすわっている七つの山であり、また、七人の王のことである」のところに「цивилизáция」(文明化)
❸ 第 17 章 11 節「昔はいたが今はいないという獣は、すなわち第八のものであるが、またそれは、かの七人の中のひとりであって、ついには滅びに至るものである」のところに「общечеловéк」(全人)

♠もっとも重要な祭日＝復活祭
「教会の祝祭の数は多かったが、最も重要なものは復活祭で…復活祭前夜の終夜祈祷式の終わりに会衆たちがかわすキスと、たがいに唱えあう「キリストはよみがえり給えり Христóс воскрéсе！」「まことによみがえり給えり Вoистину воскрéсе!」という文句…」(R. ヒングリー前掲書、196 ページ)。
先頭に十字架を掲げた聖職者たちが、聖歌を歌いながらゆっくりと歩き、信者は後に続く。キリストの受難を共に体験するシンボルであり、聖堂を一周したのち、司祭は教会の入り口に立ち、振り返って人々に Христóс воскрéсе！と宣言し、民衆はそれに応答する。Вoистину воскрéсе! 幾度も問いかけられ、信者は喜びに包まれてこれに答える。воскрéсе は教会スラヴ語の過去形。復活大祭の時の挨拶 пасхáльное привéтствие, (или христóсование)で 3 度のキスを伴う。
♠「聖なる復活祭」の前夜に、リアルに神を感じる
1854 年の復活祭の前夜、ドストエフスキイはセミパラチンスクで、話し相手のいないまま、憂愁に沈んでいた。思いがけず旧友が訪ねて来た。久しぶりの再会に二人は夜を徹して話し込んでいた。友人は無神論者で、ドストエフスキイは神を信じていた。どちらも堅く信念を守って議論を続けていた。
「神は存在する。存在するとも！」とうとうドストエフスキイは興奮し、我を忘れて叫んだ。ちょうどこの瞬間、隣の教会の鐘が打ち鳴らされ、聖なる復活祭の始まりを告げた。大気ぜんたいが鳴り響き、揺れ始めた。
「その時わたしは感じたのです」とドストエフスキイは語った。
「空が地上に降りて来て、私を飲み込んでしまいました。私はリアルに神を理解し、神によって貫かれたのです。そうだ、神は存在する。私は叫んで、それっきり、何も覚えていないのです」(コルヴィン=クルコーフスカヤの回想より)。
ここで、ドストエフスキイが、『ヨハネの黙示録』の表現を用いていることに注意したい。
「この天使が、"霊"に満たされたわたしを大きな山に連れて行き、聖なる都エルサレムが神のもとを離れて、天から下って来るのを見た。」(第 21 章 10 節)
「生身の」ドストエフスキイは神を信じていた。ポリフォニー小説の中に持ち込まれたこの(例えばソーニャの)イデエは、他のイデエ(例えばラスコーリニコフの「ナポ

レオンのイデエや、スヴィドリガイロフの「永遠」）とのディスカッションに引き込まれ、生きた対話を繰り広げ、現在にいたるも読者は登場人物と（さらに作者と）等価の立場で対話に参加するのだ。

【日本人の体験】

♠1981 年の「十字架行」は破壊された

私（井桁）はこの夜、モスクワのノヴォデーヴィチ修道院 Новоде́вичий монасты́рь の終夜祈祷式に一人で向かった。

最寄りの地下鉄の駅を出たところから、あたりは異常な緊張感に満ちていた。暗い並木道の木々のかげに、ひっそりと孤独な若者たちが何人も一人で佇んでいた。修道院に近づくにつれてその人影は増えていく。修道院の入り口近くには 20 メートルか 30 メートルにもわたって人垣が道の両側にできており、やってきた信者たちに罵声（？）を浴びせる。「お前は神を信じているのか？」「宗教はアヘンだ」「引き返せ」といった恫喝の言葉が雨あられと降りかかる。よほど強い信仰心を持っていなければこの両側に立つ人垣を進んでいく勇気は出ない。私はパスポートを所持していることを幾度も確かめた。

この晩には、普段テレビではやらない最新のアメリカ映画、たとえばインディー・ジョーンズ・シリーズなどを集中的に流して若者が外に出て、ついふらふらとうっかり（！）教会に近づいたりしないようにする、とコーリャは苦笑していた。

地下鉄の駅から修道院までの暗がりに立って息をひそめていたのは、信仰に引き付けられながらも確信が持てない人々だった。私は外国人のパスポートを所持しているという「自信」から、人垣の間を顔をこわばらせながら（だっただろう）通り過ぎ、修道院の中に入った。そこは人垣を越えた信者たちでいっぱいだった。

ロシアの教会では、ロウソクを買い、立っていると火を隣の人が灯し移してくれる、という暗闇と光の象徴的な演出（？）が感動的だ。教会に慣れない最初の頃は「自分は正教徒ではないから」と戸惑いもあったが、信者たちの愛に満ちた表情にやがて慣れた。

復活祭の終夜祈祷式では、十字架を掲げた僧を先頭に教会を一度出て、キリストの苦難の一生のあとについて一周し、教会の入り口に戻り、僧が群衆に向かって「キリストは復活した」と呼びかけ、信者たちは「しかり、復活した」と応え、清められた教会の中に喜びとともに戻るという重要な儀式がある。これは神田のニコライ堂でもそのように行われる。

1981 年のノヴォデーヴィチ修道院ではこの儀式が破壊された。

人々が十字架のあとについて外に出ると、体制側の дружи́нник（「人民パトロールなる訳語がついている。社会団体の隊員。体制側の補完組織）の手によって教会の門が閉じられ、戻れないようにされたのだ。「何をするんだ！」と真剣に叫ぶ信者たちと揉み合いになり、怒声が飛び交った。

何が起こったのか分からずに、呆然とその場にとどまっていた私を、一人のおばあさんが「巻き込まれないようにね」と腕を取って助け出してくれた。

こうして、無神論の国家では正教のもっとも重要な祝祭さえ破壊された。

第25課　イルティシ川の岸辺で

Вдруг по́дле него́ очути́лась Со́ня. Она́ подошла́ едва́ слы́шно и се́ла с ним ря́лом. Бы́ло ещё о́чень ра́но, у́тренний холодо́к ещё не смягчи́лся. На ней был её бе́дный, ста́рый бурну́с и зелёный плато́к. Лицо́ её ещё носи́ло при́знаки боле́зни, похуде́ло, побледне́ло, осу́нулось. Она́ приве́тливо и ра́достно улыбну́лась ему́, но, по обыкнове́нию, ро́бко протяну́ла ему́ свою́ ру́ку.

Она́ всегда́ протя́гивала ему́ свою́ ру́ку ро́бко, иногда́ да́же не подава́ла совсе́м, как бы боя́лась, что он оттолкнёт её. Он всегда́ как бы отвраще́нием брал её ру́ку, всегда́ то́чно с доса́дой встреча́л её, иногда́ упо́рно молча́л во всё вре́мя её посеще́ния. Случа́лось, что она́ трепета́ла его́ и уходи́ла в глубо́кой ско́рби. Но тепе́рь их ру́ки не разнима́лись; он ме́льком и бы́стро взгляну́л на неё, ничего́ не вы́говорил и опусти́л свои́ глаза́ в зе́млю. Они́ бы́ли одни́, их никто́ не ви́дел. Конво́йный на ту по́ру отвороти́лся.

Как э́то случи́лось, он и сам не знал, но вдруг что́-то как бы подхвати́ло его́ и как бы бро́сило к её нога́м. Он пла́кал и обнима́л её коле́ни. В пе́рвое мгнове́ние она́ ужа́сно испуга́лась, и всё лицо́ её помертве́ло. Она́ вскочи́ла с ме́ста и, задрожа́в, смотре́ла на него́. Но то́тчас же, в тот же миг она́ всё поняла́. В глаза́х её засвети́лось бесконе́чное сча́стье: она́ поняла́, и для неё уже́ не́ было сомне́ния, что он лю́бит, бесконе́чно лю́бит её и что наста́ла же наконе́ц э́та мину́та....

Они́ хоте́ли бы́ло говори́ть, но не могли́. Слёзы стоя́ли в их глаза́х. Они́ о́ба бы́ли бле́дны и ху́ды: но в э́тих больны́х и бле́дных ли́цах уже́ сия́ла заря́ обновлённого бу́дущего, по́лного воскресе́ния в но́вую жизнь. Их воскреси́ла любо́вь, се́рдце одного́ заключа́ло бесконе́чные исто́чники жи́зни для се́рдца друго́го.

(エピローグ第2章)

モチーフ「とうとうこの瞬間が訪れた」

突然、彼のすぐ横にソーニャが現れた。彼女はそっと音もたてずにならんで腰をおろした。まだ朝はとてもはやく、朝方の冷気はまだやわらいでいなかった。彼女が身に付けていたのはみすぼらしい、古物のブルヌース（婦人用コート）あの緑色のプラトーク（ショール）だった。その顔はまだ病気のあとをとどめていた。少し痩せて、あおざめて、頬がこけてしまっていた。彼女は丁寧に、嬉しそうに彼ににっこり微笑んだ。しかしいつもの習慣で、おずおずと片手を差し伸べた。

いつも彼女は彼に、遠慮深く手をさしのべるのだった。時には、まるで拒否されることをおそれているように手を出さないこともあった。彼のほうはいつも嫌々ながらとでもいうようにその手を取った。いつも悔し気に彼女を迎えるのだった。時には彼女が面会に来ているあいだずっと、黙っていることもあった。彼女がすっかり怯えて、深い悲しみに沈んで戻って行くことも珍しくなかった。しかし、いまは、二人の手は離れなかった。ラスコーリニコフはちらりと素早くソーニャを見ると、何も言わずに、地面に視線を伏せた。二人だけで、誰も彼らを見てはいなかった。警護兵はこの時、脇を向いていた。

どうしてそんなことが起こったか、彼自身も分からなかったけれど、しかし突然に、何かが彼をつかんで、彼女の足元に投げつけたようだった。彼は泣いて、彼女の膝を抱きしめた。最初の瞬間、彼女は恐ろしくおびえあがって、顔全体が死人のように蒼ざめた。彼女はその場から跳び上がって、身を震わせて、彼を見た。しかしすぐに、その一瞬で、彼女はすべてを理解した。彼女の目には限りない幸せが輝き始めた。彼女は理解した、そして彼女にはもうなんの疑いもなかった。彼は愛している、限りなく彼女を愛している、そしてとうとうこの瞬間が訪れたのだ…

彼らは話したかったが、できなかった。彼らの目には涙があふれていた。二人とも蒼白く、痩せていた。しかしこの病んだ、二人の蒼白い顔には、更新された未来、新しい生への完全な復活の曙光がすでに輝いていた。愛が彼らを復活させ、一方の心は他方の心のための尽きることのない生の泉となった。

【単語】
очути́ться《完》気が付くと…にいる（неожи́данно попа́сть куда́-нибу́дь《不完》は用いない。また1人称は用いない。）подошла́ → подойти́《完》「近づく」の過去形（《不完》は подходи́ть 接頭辞 под-は接近を表わす） едва́ かすかに се́ла → сесть《完》座る（過去形は сел, се́ла...《不完》は сади́ться） холодо́к 冷気（→ 寒い хо́лодно）смягчи́ться《完》和らぐ（《不完》は смягча́ться → мя́гкий 柔らかい）протяну́ть《完》差し伸べる、引き伸ばす（《不完》は протя́гивать）подава́ть《不完》差し伸べる（《完》は пода́ть）оттолкну́ть《完》押しのける、はねつける（《不完》は отта́лкивать）тепе́рь いま（「かつては」と対照的に「いまでは」というニュアンス сейча́с は「いますぐに、即刻」というニュアンス）разнима́ться《不完》分解される、離れる（《完》は разня́ться）опусти́ть《完》下げる、伏せる（《不完》は опуска́ть） конво́йный 警護兵 на ту по́ру その時 отвороти́ться《完》脇を向く（《不完》は отвора́чиваться）случи́лось《完》「起こる」の中性過去（《不完》は случа́ться）как бы あたかも подхвати́ть《完》ひっつかむ（《不完》は подхва́тывать）обнима́ть《不完》抱擁する（《完》は обня́ть） коле́ни → коле́но「膝」の複数対格 ужа́сно 恐ろしく（副詞）испуга́ться《完》恐怖する、おびえる（《不完》は пуга́ться）всё лицо́ 顔全体 помертве́ть《完》死んだようになる、蒼白になる（《不完》は мертве́ть → мёртвый 死んだような）вскочи́ть《完》跳び上がる（《不完》は вска́кивать）с ме́ста その場から（места → ме́сто の生格）задрожа́в → задрожа́ть《完》「震え始める」の副動詞 засвети́ться《完》ともる、輝き始める（《不完》は свети́ться）（接頭辞 за-は「〜し始める」）сомне́ния → сомне́ние「疑い、疑念」の生格（ここでは否定生格）что ここでは「ということ」 бле́дны （бледны́ も可）→ бле́дный「蒼白な」の短語尾複数 ху́ды →（худы́ も可）→ худо́й「痩せている」の短語尾複数

【鑑賞の手引き】

♠ここでも2回使われる「突然 вдруг」について

1977年8月14日から1週間、第3回国際ドストエフスキイ・シンポジウムが、コペンハーゲンで開催された。20か国から約90名が参加し、アジアから初めて私が参加した。その4日目にイタリアのG. ヴェルチによる「ドストエフスキイにおける“不意の出来事”について」。彼は「вдруг」という言葉がドストエフスキイの作品の2516ページ中で、2079回使われていることに注目し、その用法を分類していく。まず700ほどの動詞との結合の仕方は7つの意味論的カテゴリーに分けられる。直接話法の結合29パーセント、外面的変更17パーセント、運動について9パーセント、身振りについて5パーセント、何者かの出現12パーセント、あれこれの感覚の発生に関して14パーセント、その他11パーセント。また誰の言葉にこの単語が使用されるか、という点については、作中人物の言葉としてはわずか18パーセントで、82パーセントが、語り手の言葉として用いられている、という。

こうした資料をもとにして、ヴェルチ氏は、ドストエフスキイの世界の非論理性、絶対的自由を説く。たとえば『地下室の手記』第1部では「вдруг」は1回だけしか用いられないが、第2部では73回用いられている。つまりこの言葉は、ポリフォニ

一が、自由な衝突、運動が存在するところにのみ現れるのだ、という。また彼はドストエフスキイの作品の語り手はパースペクティブを持った者としてではなく、限られた主観性をその属性としていることもこの言葉の多用の原因となっている、と報告された。

当時としてはこうしたアプローチは新鮮なものであった。このイタリアの若い研究者の報告を聞きながら、私は文学研究というものの今後の方向の 1 つを示しているかも知れないと思わないではいられなかった。一方また、その後、イギリスの R.ピース氏と話している時に、あの研究をドストエフスキイが聞いたらなんと言うだろうね、といたずらっぽく笑ったことも印象にのこる(「第 3 回国際ドストエフスキイ・シンポジウム報告」より、「ゑうい」第 6 号 1978 年)。

♠小説のフィナーレ

第 3 の(最後の)創作ノートに「小説のフィナーレ ФИНАЛ РОМАНА」と題したメモがある。これはどういう意味だろう？最終稿でこのプランは実現されたと言えるか。

Свидригáйлов — отчáяние, сáмое цини́ческое.
　スヴィドリガイロフ — 絶望、もっともシニカルな。
Сóня — надéжда, сáмая неосуществи́мая.
　ソーニャ — 希望、もっとも実現不可能な。
(Э́то дóлжен вы́сказать сам Раскóльников)
　(これはラスコーリニコフ自身が言わなくてはならない)
Он стрáстно привязáлся к ним обóим.
　彼は熱烈にこの二人に自分を結びつけてしまった。

♠「新しい」という言葉

この小説が нóвый という語の体系から成っていることは第 10 課でも触れた。そしてそれらは特に主人公ラスコーリニコフが他者と出会った直後に現れる、ということも特徴的だ。「新しい」というモチーフは、彼以外ではソーニャにわずかに用いられる。ソーニャについての「新しい」もラスコーリニコフにまつわって用いられる。

小説の最後にもこの原則は貫かれる。二人はともに「新しい」世界へと導かれる。но в э́тих больны́х и блéдных ли́цах ужé сия́ла заря обновлённого бýдущего, пóлного воскресéния в нóвую жизнь.(だがこの病んだ蒼白い二人の顔にはもはや更新された未来への、新しい生へのまったき復活の曙光が輝いていた。)

ここで「ヨハネの黙示録」の中の「新しいエルサレム」を思い出すことはキリスト教圏の人々にとっては自然なことに違いない。「ヨハネの黙示録」には次のように書かれている：

「わたしはまた、新しい天と新しい地とを見た。先の天と地とは消え去り、海もなくなってしまった。」(第 21 章 1 節、2 節)

「御使はまた、水晶のように輝いているいのちの水の川をわたしに見せてくれた。この川は、神と小羊との御座から出て、都の大通りの中央を流れている。川の両側にはいのちの木があって、12 種の実を結び、その実は毎月みのり、その木の葉は

諸国民をいやす。」（第22章1節、2節）

♠「ロシア報知」の連載の最終回（どんな「新しい出会い」が用意されていたのか？）

1866年12月9日「ロシア報知」編集者リュビーモフ宛書簡によると「しかし我ながら驚いたことに12月号の章はあまり多くなさそうなのです」「私は以前、もっと長くなるように予想し、計算していたのです。それにしても、筋を早く運んで、最後の効果を冗長さで損なわないことが是非とも必要なのです」。

12月13日のリュビーモフ宛書簡では「12月号に載る分は一節で、結びの章（エピローグ）も含めて非常に短いものになります」。

12月号に載ったのは現在残されている『罪と罰』の第6章第6節と、スヴィドリガイロフが自殺する後の第6章第7節、第8節とエピローグだ。

エピローグは、筋を早く運ぶ方法として選ばれたのだろう。現在残されている原稿から推測される物語は、「火事場でラスコーリニコフが、幼い子供を助け出した」というエピソードがもっと細部にわたって描かれたものになったか（これは最終的には「裁判で有利にはたらいた」と触れられる小さなエピソードだけだ）、あるいはまた「自白に向かうラスコーリニコフの前にキリストの幻を見る」というモチーフを、ヨブ記とはっきりと関連づける工夫をする、といった可能性が浮かぶ。もっと別の展開もあったか？　だが、書かれなかった作品についての議論は避けるべきだろう。

♠最後にここで、ユング派の心理分析の知見から、『罪と罰』を読み解いてみたい。

ユングによれば、人間の「こころ」の構造は意識の下に、あらゆる民族を超えて生動する「集合的無意識」があって、これは遺伝子のように生まれた時から備わっていて、人間の思考や行動に作用を及ぼす。そして《影》（肯定的なもの、否定的なもの）、《母元型》（母性、大地、生命的原理を表す）、《老賢者》（智慧。世界に意味を与える）、《アニマ》と《アニムス》、《自我》と《自己》などが「こころ」を構成する（ユング『元型論』紀伊國屋書店、1999年）。

『罪と罰』のエピローグにおいて、ソーニャは「母性」を象徴し、シベリアの囚人たちは、ソーニャを「俺たちのおっかさんだ」と慕う。予審判事ポルフィーリイは《老賢者》の役割を果たし、主人公に「太陽になりなさい」と「生きる意味」を与える。人も動物も植物も太陽の光に照らされて生きる。これまでは、人物像を「元型」として読み解くという読み方がされてこなかった。

♠『ユング研究』第5号（1999年11月）の「対談　ユング心理学と日本文学」で佐古純一郎氏は「ドストエフスキーは 1881 年に死んでいるんですから、フロイトの『ヒステリー研究』の出る前ですよね。だけども、ドッペルゲンガーをテーマに『二重人格』を書いています」と指摘している。

『罪と罰』ではラスコーリニコフとスヴィドリガイロフは「互いに似ている」と言われるが、互いに《影》の関係として読めるかもしれない。

♠同じ座談会で、心理学者の福島宗男氏は「ドストエフスキーは、自分の見た夢を重視して、夢判断をしていましたね。エリアーデによると、ユングもドストエフスキーの夢を解釈しています。ミハイル・バフチンは、トルストイの小説と比較して、ドストエフスキーの小説の特色がポリフォニー（多声）性にあることを指摘していますが、それは、人間の意識だけでなく無意識を大切にする、ドストエフスキーの態度と関係しているのではないでしょうか？」と述べている。
♠そのとおりで、実際に交わされた対話をそのまま写し取る、というポリフォニーという装置は、さらにその人物が見た夢（＝無意識）を描くことを可能にしている。
（「自我インフレーション」など魅力的なアイディアがあるが、別に「ドストエフスキイとユング」についての論文を準備しているので、そちらに譲ることにする。）

【日本では】

1993 年に直木賞を受けた高村薫（1953－）の代表作『マークスの山』には、マルメラードフの物語や、ポルフィーリイというあだ名の刑事も登場する。

「あれはバルザックだったか、ゴーリキイだったか、いや、ドストエフスキーかな。出てくる人間みな、何らかの形で金のことを考えているのには驚いた。高貴と下賤、正義と不正、理想と現実などの基準すら、金がなければ生まれてこないかのようだった」

ここでは意図的にバルザックの『ゴリオ爺さん』と『罪と罰』などがまぜあわされている。高村氏は、『ゴリオ爺さん』がドストエフスキイの愛読書であったことを知っているのだろう。

「あれは何の小説だったか。凍った路上で馬車馬に蹴られて死ぬ貧しい官吏がいた。元気なときは、年がら年中金のためにうちひしがれていた男も、死を迎えてやっと、金の責め苦から解放された。その肺病やみの妻は、やはり貧苦の末に発狂し、発狂することで苦しみから解放された。そういう意味では、俺なんか、初めっから解放されていたのだ」

このように、炎暑の夏と、凍った路上という舞台背景の季節の思い違いはあるにしても、ほぼ正確に『罪と罰』のエピソードを語ることのできる刑事の合田。彼は、別れた妻の兄である加納という検事と約束している。

「加納とはむしろ、それらの愛憎や社会生活の信条とは別の次元でむすばれてきた。それはたった二つの符合で成り立っていた。《山へ登ろう》《ドストエフスキーを読もう》という、単純かつ浮世離れした符合で」

高村薫『マークスの山』（早川書房、1993 年）

特別付録

「イワーノフ——プンピャンスキイ——バフチン」
ИВАНОВ — ПУМПЯНСКИЙ — БАХТИН

ИГЭТА, Садаёси

1. Вяч. Иванов и М. Бахтин

В своей книге «Проблемы творчества Достоевского» (1929) Михаил Михайлович Бахтин высоко оценивал статью Вячеслава Иванова «Достоевский и роман-трагедия» (1911).

«Впервые основную структурную особенность художественного мира Достоевского нащупал Вячеслав Иванов — правла, только нащупал. Реализм Достоевского он определяет как реализм, основанный не на познании (объектном), а на „проникновении". Утвердить чужое „я" не как объект, а как другой субъект, — таков принцип мировоззрения Достоевского. Утвердить чужое „я" — „ты еси" — это и есть та задача, которую, по Иванову, должны разрешить герои Достоевского, чтобы преодолеть свой этический солипсизм, свое отъединенное „идеалистическое" сознание и превратить другого человека из тени в истинную реальность. В основе трагической катастрофы у Достоевского всегла лежит солипсическая отъединенность сознания героя, его замкнутость в своем собственном мире.»[1]

В то же время М. Бахтин критиковал Вяч. Иванова за то, что он «не показал, как этот принцип мировоззрения Достоевского становится принципом художественного видения мира и художественного построения словесного целого — романа.»

«Вячеслав Иванов, найдя глубокое и верное определение для основного принципа Достоевского — утвердить чужое „я" не как объект, а как другой субъект, — монологизовал этот принцип, т. е. включил его в монологически формулированное авторское мировоззрение и воспринял лишь как содержательную тему изображенного с точки зрения монологичестого авторского сознания мира. Кроме того, он связал свою мысль с рядом прямых метафизических и этических утверждений, которые не поддаются никакой объективной проверке на самом материале произведений Достоевского. Художественная задача построения полифонического романа, впервые разрешенная Достоевским, осталась не вскрытой.»[2]

По мнению М. Бахтина, Вяч. Иванов «совершает здесь типичную методологическую ошибку; от мировоззрения автора он непосредственно переходит к содержанию его произведений, минуя форму.»

На первый взгляд М. Бахтин как бы принимал от Вяч. Иванова лишь определение для основного принципа Достоевского „ты еси". Однако, нам думается, что М. Бахтин и, точнее говоря, „бахтиновский круг", испытал более глубокое влияние от теорий искусства этого выдающегося русского символиста.

В данной статье мы попытаемся показать:

1. Каким образом сформировалось у М. Бахтина термин „полифонический роман"?
2. Какую роль при этом сыграло определение „полифония" Вяч. Иванова?
3. В частности, мы попытаемся обратить внимание на важную роль, которую сыграла в процессе формирования бахтиновского термина „полифонического романа" книга Льва Васильевича Пумпянского «Достоевский и античность» (1922). Л. Пумпянского связывали тесные дружеские отношения с М. Бахтиным, но об их отношениях в области теории до сих пор исследовано мало.[3)]
4. При сопоставлении книги Л. Пумпянского и работ М. Бахтина мы можем проследить, как складывались новые теории литературы в „круге Бахтина".

2. „Круг Бахтина"

Как уже показано в книге К. Кларка и М. Холквыста,[4)] в 1918 году близ Петрограда в городке Невеле образовался философский круг нескольких интеллигентов. Они часто устраивали вечера, на которых проходили дискуссии об античных философах, Канте, Гегеле, Блаженном Августине, Владимире Соловьеве и Вячеславе Иванове. Среди этих интеллигентов были и М. Бахтин и Л. Пумпянский.

В 1919 году Л. Пумпянский уехал в город Витебск и в следующем году М. Бахтин последовал за ним в Витебск. А в 1921 году Л. Пумпянский вернулся в Петроград, но М. Бахтин остался в Витебске до весны 1924 года.

В Петрограде 2-го октября 1921 года в Вольной философской Ассоциации Л. Пумпянский прочел доклад о Достоевском, который был опубликован под заглавием «Достоевский и античность» в 1922 году.[5)]

Как относился М. Бахтин к этому докладу? Слушал ли он этот доклад и читал ли эту книгу? В книге Кларка и Холквыста об этом ничего не сказано. Но поскольку М. Бахтин готовил свою книгу о Достоевском именно в тот период,[6)] то, нам думается, что он не мог не обратить внимание на доклад своего ближайщего друга Л. Пумпянского.

3. Л. Пумпянский и Вяч. Иванов.

Как и М. Бахтин, Л. Пумпянский таже высоко оценивал статью Вяч. Иванова «Достоевский и роман-трагедия». В начале своей книге Л. Пумпянский пишет:

«С Вячеслава Иванова началась новая эпоха изучения Достоевского.»

Однако, по мнению Л. Пумпянского, «сразу же было произнесено ошибочное слово — „трагедия", „русская трагедия."»

«Вообще возможны две ошибки при обсуждении поэзии Достоевского: во-первых, национальное уединение его поэзии и, во-вторых, обсуждение его мыслей (а не вымыслов). Между тем мысли великого поэта должны и могут быть поняты только после анализа вымыслов, и мы скоро постараемся показать, что известное учение Достоевского о личности, ее сверхчувственном содержании и сверхчувственных судьбах, само возникло, как результат того, что мы назвали расстройством художественного вымысла у Достоеского.»[7]

Как и у М. Бахтина, у Л. Пумпянского мы можем видеть стремление анализировать «художественную задачу построения романа Достоевского». Это общий для обоих теоретиков литературы подход к творчеству Достоевского.

А что значит „расстройство художественного вымысла у Достоевского"? Анализ Л. Пумпянского основывается на анализе „отношения автора к герою".

4. „Расстройство художественного вымысла".

Л. Пумпянский пишет:

«Не просто Европой было захвачено Московское государство, а Европою Ренессанса; это забывают. Тогда же, когда открыли морской путь в Индию, Мексику, Перу, Японию, открыли и Россию и по тем же побуждениям.»[8]

«С религией Солнца, с человеческими жертвоприношениями, Россия была для них Мексикой, когда приплыли к ней дионисические плаватели, сделавшие из нее колонию Ренессанса. И тех туземцев, которые поверили плавателям и пошли за ними, охватил восторг.»

Однако, по мнению Л. Пумпянского, этот дионисический восторг долго не прожил. «Россия скоро увидела гамлетическую проблему о возможности Ренессанса самого.»

«Серьезность началась с Пушкина, простодушный восторг которого, как и простодушное отцовство убитого Гамлета, встретился с неожиданным кризисом самозванства, т. е. недоверчивого сыновства. Доверчивая словесность кончилась, начался дурной сон русской поэзии о своей же смерти. Неожиданно происходит явление, решающим образом меняющее смысл поэзии: эстетическое сновидение поэта готово превратиться в сновидение героя.»[9]

Каким образом в таком случае происходит переход эстетической культуры в культуру позднего или гамлетического Ренессанса?

«Принц Гамлет сам становится художником своих же судеб и, не удержавшись в фиктивном кругу замысла о себе, хочет реально, т. е. политически, создать для себя угодные ему судьбы. Герой становится конкурентом своего поэта.»[10]

Л. Пумпянский считает это «эстетическим помешательством и эстетической же ненормальностью.» По его мнению, источник болезненного состояния Гамлета, Раскольникова и других героев Достоевского есть «ненормальность их положения в вымысле.»[11]

В «Преступлении и наказании», — Л. Пумпянский пишет, —«колеблют и без того слабые границы между видением Достоевского и видениями самого Раскольникова.»[12]

«В истории Гамлета России принадлежит последнее слово. Спор поэта с героем в России заканчивается: сопротивление героя становится основной темой русской литературы.»[13]

5. „Проблема отношения автора к герою."

Какова была кинга М. Бахтина о Достоевском, подготовленная им к печати в августе 1922 года? Кларк и Холквыст пишут, что книга была несомненно одним из вариантов книги «Проблемы творчества Достоевского». Французский критик Т. Тодоров пишет, что этот вариант был, вероятно, совсем несходным от печатного.[14] Мы можем частично узнать мнение М. Бахтина о Достоевском в этот период с помощью его работы «Автор и герой в эстетической деятельности» (авторское заглавие работы не известно).[15]

С. Аверинцев и С. Бочаров пишут: «возможно, работа над текстом велась еще в годы пребывания автора в Витебске (1920-1924).»[16]

В этой работе несколько раз предварительно извещается, что будет сделан автором анализ произведений Достоеского. В начале текста:

«Архитектонически устойчивое и динамически живое отношение автора к герою должно быть понято как в своей общей принципиальной основе, так и в тех разнообразных индивидуальных особенностях, которые оно принимает у того или другого автора в том или другом произведении. В нашу задачу входит лишь рассмотрение этой принципиальной основы, и затем мы лишь вкратце наметим пути и типы ее индивидуации и, наконец, проверим наши выводы на анализе отношения автора к герою в творчестве Достоеского, Пушкина и других.»[17]

К концу рукописи: «Эти вариации основной формы самоотчета-исповеди будут нами еще рассмотрены в связи с проблемой героя и автора в творчестве Достоевского.»[18]

Как отмечают составители книги М. Бахтина, «В рукописи после главы «Проблема автора» записан заголовок предполагавшейся следующей главы — «Проблема автора и героя в русской литературе», — после которого рукопись обрывается.»[19]

План М. Бахтина анализировать проблему автора и героя у Пушкина, Достоевского и Белого в конце концов не был осуществлен. Или же рукопись, может быть, была потеряна. Однако мы можем сказать, по крайнее мере, что одна из главных проблем, интересовавших М. Бахтина в этот период, была проблема отношения автора к герою в творчестве Достоевского. (Конечно было бы слишком смело утвержить, что эта рукопись является именно вариантом книги о Достоевском, подготовленной к печати в 1922 году.)

В рукописи М. Бахтин хотя и не подробно, но в нескольких частях развивает свой тезис об отношении автора и героя у Достоевского. Судя по этим материалам мы можем показать, что его тезис некоторым образом перекликается с точкой зрения Л. Пумпянского.

По мнению М. Бахтина: «Эстетическое событие может совершиться лишь при двух участниках, предполагает два несовпадающих сознания. Когда герой и автор совпадают или оказываются рядом друг с другом перед лицом общей ценности или друг против друга как враги, кончается эстетическое событие и начинается этическое.»[20]

А у Достоевского наблюдается «отклонение от прямого отношения автора к герою» (ср. „эстетическая ненормальность" Л. Пумпянского — С. И.).

По М. Бахтину, автор у Достоевского теряет «ценностую точку вненаходимости горою.»

«Герой завладевает автором. Эмоционально-волевая предметная установка героя, его познавательно-этическая позиция в мире настолько авторитетны для автора, что он не может не видеть предметный мир только глазами героя и не может не переживать только изнутри события его жизни; автор не может найти убедительной и устойчивой ценностной точки опоры вне героя.»[21]

Мнение М. Бахтина совпадает с мненим Л. Пумпянского и в исторической перспективе. Здесь вместо термина Л. Пумпянского «культура позднего или гамлетического Ренессанса», М. Бахтин употребляет термин «романтизм».

«Вненаходимость автора романтическому герою, несомненно, менее устойчива, чем это имело место в классическом типе. Ослабление этой позиции ведет к разложению характера, границы начинают стираться (ср. слова Л. Пумпянского: «колеблют и без того слабые границы между видением Достоевского и видениями самого Раскольникова» — С. И.), ценностный центр переносится из границы в самую жизнь (познавательно-этическую направленность) героя. Романтизм является формою бесконечного героя: рефлекс автора над героем вносится вовнутрь героя и перестраивает его, герой отнимает у автора все его трансгредиентные определения для себя, для своего саморазвития и самопреодоления, которое вследствие этого становится бесконечным (ср. также «этическое сновидение поэта готово превратиться в сновидение героя» — С. И.).[22]

Так, и в русской литературе может возникнуть «кризис авторства».

«Расшатывается и представляется несущественной самая позиция вненаходимости, у автора оспаривается право быть вне жизни и завершать ее. Начинается разложение всех устойчивых трансгредиентных форм (прежде всего в прозе от Достоевского до Белого; для лирики кризис авторства всегда имеет меньшее значение — Анненский и проч.).»[23]

Такая точка зрения М. Бахтина записана и в тетради того же периода Р. Миркиной (правда, здесь уже с положительной оценкой):

«Ввиду того, что рассказчик все время находится на уровне своих героев, у Достоевского нет своего языка: язык автора становится похожим на язык героя, о котором он говорит. И здесь автор, конечно, не ломается: именно потому, что он серьезен, он и ввел такого рассказчика.»[24]

Так, в следующей главе, озаглавленной «Проблема автора и героя в русской литературе» М. Бахтин мог бы повторить слова Л. Пумпянского «сопротивление гороя становится основной темой русской литературы».

6. Л. Пумпянский и М. Бахтин.

В один и тот же период, в одном круге теоретиков два филолога вместе работали над одной проблемой в одном направлении. В чем была, тогда, разница между их теориями?

Разница в том, что у Л. Пумпянского есть утверждение, что «только здесь (в творчестве Достоевского — С. И.) поэт и герой находятся каждый в своей сфере, только здесь прекращается это неестественное соперничество в авторстве, которое мы анализировали выше.»

«В „Дялюшкином сне“, „Скверном анекдоте“ особый вид смеха, близкий к издевательству. Но единоличное издевательство есть бессмыслица: издевательство всегда есть дело собравшейся толпы, со смехом указывающей на безусловно постыдное и коллективно признанное смешным. Здесь разительнее всего обнаруживается союз поэта, хотя бы с элементарным большинством; так велика его вражда к единоличному делу героя, хотя бы оно и было в своем роде серьезно. Все это проявление глубокой вражды, „древней обиды“ между певцом и героем. Можно сказать, что „Село Степанчиково“ гораздо более комедия, чем „Братья Карамазовы“ — трагедия и это наиболее краткая формура нашей мысли. Вообще, так называемые „мелкие“ произведения Достоевского дают нам второй, Вячеславом Ивановым не усмотренный, предел поэзии Достоевского, — чистую комедию.»[25]

Всемирно-исторического значение Достоевского, по мнению Л. Пумпянского, «заключается в том, что его поэзией Европа нудится закончить историю своего Ренессанса и своей художественной словесности.»

В заключении Л. Пумпянский оределил свой тезис так: «Тема Достоевского — найти источник чистой историчности и чистой античности через распадение Ренессанса.»[26]

В период работы над текстом «Автор и герой» у М. Бахтина отсутствовала такая перспектива. Он не различал поэтику Достоевского от поэтики романтизма.

7. „Полифонический роман.“

Как уже не раз отмечено исследователями, наблюдается „противоречие“ ме-

статьи и книги / мотивы	Вяч. Иванов		Л. Пумпянския
	Две стихии 1908	Роман-трагедия 1911	Античность 1922
высокая оценка Вяч. Иванова			+
критика подхода Вяч. Иванова			+
анализ отношения автора и героя	−	−	+
принцип «ты еси»	−	+	−
диалогическое отношение автора	−	−	−
полифония, хор	+	+	−
взгляд на античное искусство	+	+	+

(+) — мотив присутствует (−) — мотив отсутствует

жду оценками Достоевского в рукописи «Автор и герой» и в книге 1929 года. В отличие от рукописи, М. Бахтин в книге «Проблемы творчества Достоевского» высоко оценивал поэтику этого писателя, определяя его новаторство термином „полифонический роман".

В книге он пишет, что Достоевский произвел коперниканский переворот: «он перенес автора и рассказчика со всею совокупностью их точек зрения и даваемых ими описаний, характеристик и определений героя в кругозор самого героя.»[27)]

„Переворот" здесь считается не „отклонением", не „эстетической ненормальностью", а через этот переворот Достоевский, по мнению М. Бахтина, создал существенно новый романный жанр — полифонический роман.

Критикуя работу В. Комаровича, М. Бахтин определяет полифонию следующим образом:

«Сущность полифонии именно в том, что голоса здесь остаются самостоятельными и, как такие, сочетаются в единстве высшего порядка, чем в гомофонии. Если уже говорить об индивидуальной воле, то в полифонии именно и происходит сочетание нескольких индивидуальных воль, совершается принципиальный выход за пределы одной воли.»[28)]

Как сложилась эта новая точка зрения на творчество Достоевского у М. Бахтина? Здесь нам следует припомнить работу Вяч. Иванова.

М. Вахтин			
Автор и герой 1920-1924	Запись о Белом 1920-е годы	Проблемы творчества 1929	Проблемы поэтики 1963
–	–	+	+
–	–	+	+
+	+	+	+
–	–	+	+
–	–	+	+
–	–	+	+
–	–	–	+

Теоретик русского символизма в статье «Две стихии в современном символизме» (1908) определил „полифонию" так же, как это делает и М. Бахтин.

«Полифония в музыке отвечает тому моменту равновесия между ознаменовательным и изобретательным началом творчества, который мы видим в искусстве Фидия. В полифоническом хоре каждый участник индивидуален и как бы субъективен. Но гармоническое восстановление строя созвучий в полной мере утверждает объективную целесообразность кажущегося разногласия. Все хоровое и полифоническое, оркестр и церковный орган служат формально ограждением музыкального объективизма и реализма против вторжения сил субъективного лирического произвола, и доныне эстетическое наслаждение ими тесно связано с успокоением нашей, если можно так выразиться, музыкальной совести соборным авторитетом созвучно поддержанного голосами или орудиями общего одушевления.»[29]

Рассматривая историю искусства, Вяч. Иванов считал, что в искусстве, возникшем с расцвета эпохи Возрождения, преимущественно утверждается монолог.

«Но эпоха субъективизма заявляет себя борьбою за музыкальный монолог, и изобретение клавесина-фортепиано есть чисто идеалистическая подмена симфонического эффекта эффектом индивидуального монолога, замкнувшего в себе одном и собою одним воспроизводящего все многоголосое изобилие мировой гармонии: на место звукового мира, как реальной вселенской воли, ставится аналогичный звуковой мир, как представление, или творчество воли индивидуальной.»[30]

Вяч. Иванов говорит здесь правда не об отношении автора и героя, но об отношении зрителя и героя в хоровой драме, о союзе зрителя с хором (ср. слова Л. Пумпянского о коллективном признании, о союзе поэта с большинством).

«На иллюзии зиждется весь современный театр: не на внешней только иллюзии, но на внутренней. Триумф актера, автора и режиссера — создание такой иллюзии, которая произвела бы на зрителя гипноз отожествления с героем драмы; зритель должен пережить часть жизни героя, он должен быть на один вечер сам герой. В хоровой драме было не так: зритель был участником действа тем, что отожествлялся не с героем-протагонистом, а с хором, из которого выступил протагонист. Он был, быть может, участником его трагической вины, но он и удерживал его от нее; он противопоставлял его дерзновению свой голос в соборном суде хора.»[31]

Хор для Вяч. Иванова — «постулат эстетического и религиозного credo. Но мы далеки от мысли или пожеланий его искусственного воссоздания.» Однако, по Вяч. Иванову, наступает время, «когда науке придется вспомнить несколько истин, ясно представлявшихся исследователям мифа и символа, хотя бы в эпоху Крейцера. Древность в целом непонятна без допущения великой, международной и древнейшей по своим корням и начаткам организации мистических союзов, хранителей преемственного знания и перерождающих человека таинств.»[32)]

В своей статье «Достоевский и роман-трагедия» Вяч. Иванов пишет, что он видит в творчестве этого русского писателя «многоголосый оркестр» — воссоздание хора.[33)] М. Бахтин оценивает его попытку создать трагедию следующим образом:

«В России, по его (Вяч. Иванова — С. И.) мнению, трагедия почти создалась: это романы Достоевского, на которые он смотрел как на трагедии. Свои трагедии ему не удались. Это лишь циклы стихов, связанные внешне. Если бы он отрешился от мешающей ему формы, произведение бы только выиграло.»[34)]

Древнее хоровое искусство — монологизация искусства эпохи Возрождения — воссоздание полифонического искусства через распадение Возрождения. Такую общность взглядов на историю искусства мы видим у этих трех теоретиков литературы.

Мы покажем процесс формирования термина „полифонический роман" М. Бахтина схематично.

В заключение сделаем выводы из нашего анализа.

1. Л. Пумпянский и М. Бахтин высоко оценили вклад Вяч. Иванова в развитие достоевсковедения.
2. Оба они критиковали подход Вяч. Иванова к анализу творчества Достоевского и начали исследовать построение романа.
3. Оба анализировали форму романа Достоевского и показали новые своеобразное отношение автора к герою в нем.
4. При этом М. Бахтин наследовал точку зрения Вяч. Иванова на принцип построения романа Достоевского „ты еси" и концепцию „полифония".
5. Впервые в развитии достоевсковедении отношение автора и героя было определено М. Бахтиным в 1929 году в книге «Проблемы творчества Достоевского» словом „диалогическое".
6. У всех трех теоретиков наблюдается сильное стремление воссоздания античного хорового искусства и они видят в творчестве Достоевского заного родившуюся античную культуру.

ПРИМЕЧАНИЯ

1) М. Бахтин. Проблемы творчества Достоевского. Л., 1929, стр. 14-15.
2) Там же, стр. 16.
3) См. комментарий Н. Николаева к статье Л. Пумпянского « Об исчерпывающем делении, одном из принципов стиля Пушкина. » В кн.: Пушкин. Исследования и материалы. Том X. 1982, стр, 204-207.
4) K. Clark & M. Holquist. Mikhail Bakhtin. Harvard University Press, 1984.
5) Л. Пумпянский. Достоевский и античность. Пг., 1922.
6) См. Clark & Holquist, p. 53.
7) Пумпянский, стр. 8. Не только „бахтиновский круг", но и другой критик того же периода высоко оценивал работу Вяч. Иванова. « В. Иванов вступает на совершенно новый, до него никем не испытанный еще путь: не от собственных догм отвлекает он « принцип миросозерцании » Достоевского, но ищет и как бы нащупывает его в предварительном анализе структурных признаков романа. » В. Комарович. Достоевский. Л., 1925, стр. 7.
8) Пумпянский, стр. 9.
9) Там же, стр. 10-11.
10) Там же, стр. 16.
11) Там же, стр. 17.
12) Там же, стр. 20.
13) Там же, стр. 17.
14) T. Todorov. Mikhail Bakhtin: The Dialogical Principle. University of Minnesota Press, p. 4.
15) М. Бахтин. Автор и герой в эстетической деятельности. В кн.: М. Бахтин. Эстетика словесного творчества. М., 1979.
16) Там же, стр. 384.
17) Там же, стр. 7.
18) Там же, стр. 128.
19) Там же, стр. 384.
20) Там же, стр. 22.
21) Там же, стр. 18.
22) Там же, стр. 157.
23) Там же, стр. 176.
24) Запись лекций М. М. Бахтина об Андрее Белом и Ф. Сологубе. Studia Slavica Hungrica, XXIX, 1983, p. 229.
25) Пумпянский, стр. 32.
26) Там же, стр. 11, 44.
27) Проблемы творчества, стр. 56.
28) Там же, стр. 33.
29) Вяч. Иванов. Две стихии в современном символизме. В кн.: По звездам. СПб., 1909, стр. 261.
30) Там же, стр. 262.
    О перспективе преодоления „кризиса индивидуализма" Вяч. Иванова см. нашу статью. « Славянский фольклор в произведениях Ф. М. Достоевского. » In: Japanese Contributions to the Ninth International Congress of Slavists. Tokyo, 1983, p. 84, 85.
31) Там же, стр. 286, 287.
32) Там же, стр. 288.
33) Вяч. Иванов. Достоевский и роман-трагедия. В кн.: Борозды и межи. М., 1916, стр. 15.
    Как указано в статье Дж. Куртиса, термин М. Бахтина „полифонический роман" имеет некоторые отношения с употреблением этого термина европейскими ницшеанами. Однако по нашему мнению М. Бахтин употребляет его прежде всего под влиянием Вяч. Иванова. См. James M. Curtis. Michael Bakhtin, Nietzsche, and Russian Pre-Revolutionary Thought. In: Nietzsche in Russia. Ed. by B. G. Rosenthal. Princeton University Press, 1986, p. 337.
34) Из лекций по истории русской литературы. Вячеслав Иванов. В кн.: Эстетика словесного творчества, стр. 383.

「イワーノフ ― プンピャンスキイ ― バフチン」

井桁貞義

この論文を書くにあたって、特に心掛けたことは、論理構造を明示することだった。その究極の形は、問題の設定、分析、証明終わり、という数式形式型に絞り込むことだった。

私は以下のような問いを立てた。

1. バフチンの＜ポリフォニー小説＞という用語はいかにして成立したか？
2. その過程でイワーノフのポリフォニー概念はどんな役割をはたしたか？
3. ここではとくに、バフチンの＜ポリフォニー小説＞が成立する過程でのレフ・ワシーリエヴィチ・プンピャンスキイの著書『ドストエフスキイと古代文化』（1922年）の重要性に注意を向けたい。プンピャンスキイはバフチンと極めて親しい友人だったが、文学理論の両者の関係についはこれまでわずかな例外を除いて、十分に研究されてきたとは言い難い。
4. プンピャンスキイの著書とバフチンの仕事を併せ見ることによって、私たちは＜バフチン・サークル＞においてどのように新しい文学理論が形成されていったかを追うことができるはずだ（127ページ）。

そして、「バフチン・サークル」「プンピャンスキイとイワーノフ」「芸術的ファンタジーの混乱」「作者と主人公の問題」「プンピャンスキイとバフチン」「ポリフォニー小説」と展開を追った。

以上の追跡によって私たちは次のような結論を得ることができる。

1. プンピャンスキイとバフチンはドストエフスキイ研究の歴史におけるヴャチェスラフ・イワーノフの業績を高く評価する。
2. それと同時に両者は等しくイワーノフのドストエフスキイへのアプローチを批判し、思想的分析ではなく、小説の構成の分析へと向かった。
3. 両者はドストエフスキイの小説のフォルム研究において、この作家の作品における作者と主人公のあいだの新しい独特な関係を指摘した。
4. このさいバフチンはドストエフスキイの小説の構成の原理としてイワーノフが取り出した＜汝あり＞と、＜ポリフォニー＞概念とを継承している。
5. 『ドストエフスキイの創作の諸問題』（1929年）において、ドストエフスキイ研究の歴史の中で初めて彼の作品のなかの作者と主人公の関係は〈対話的〉という言葉でとらえられた。
6. 3人の理論家に共通して見られるのは、古代の合唱芸術を復興したいという志向であり、彼らはドストエフスキイの作品のなかに、新たに生まれた古代文化を見ていた（135ページ）。

私の論文はどのように引用されてきたか？

ソフィアでの第10回国際スラヴィスト会議には腰痛のために参加できずに、

ペーパー参加となった。参加した人から、あとで「プロフェッサー・イゲタは来ないのか」とよく尋ねられたと聞いた。その後、翻訳されたり、引用されたりと反響は大きかった。

1. 「興味深い論文だったのでポーランド語に翻訳しておいたよ」という手紙と共にポーランドの文学理論誌「人文評論 Przeglad Humanistyczny 6, 1989」の抜き刷りが送られてきた。
2. ニコラーエフ氏からの応答
ロシアからのレスポンスは、まず外国の文献を自由に引用できる時代になった 1996 年にもたらされた。Никола́ев Н. «Достое́вский и анти́чность» как те́ма Пумпя́нского и Бахтина́(1922－1963) // Вопро́сы литерату́ры 5/6 月号に載った論文で追認。
В проница́тельном иссле́довании С. Игэты（C.イゲタの洞察力ある研究において）
3. 1997 年にモスクワで出された論文集 Бахти́нский теза́урус. М.,1997.で引用。
4. ロシア理論誌「対話。カーニバル。クロノトポス。 Диало́г. Карнава́л. Хроното́п」（2000 年）への再録
5. Собра́ние сочине́ний М.М.Бахтина́ 第 2 巻（2000 年）に収められた『ドストエフスキイの創作の諸問題』への注で、С.Г. Бочаро́в は書いている。「作者と主人公という理論を背景にした時の、ドストエフスキイのラディカルな変化は、以下の点にある。すなわち、ドストエフスキイの主人公は、自分の《頑強な》内容と《意味論的な反抗》を保ったまま、小説の中に入り込む。それどころか、この反抗こそが主人公の芸術的性格付けの基礎となるのだ。主人公は《頑強な》本質を保っており、《美学的に》打ち負かされたりしないし、《償われる》こともない。主人公の意味論的反抗という『作家と主人公』の公式は、1922 年のプンピャンスキイの著書のキーとなるテーゼ、すなわち「主人公の反抗こそがロシア文学の基本的なテーマとなる」（プンピャンスキイ）に関わっている。疑いもなく、この 2 つのテーゼは 1919 年のネーヴェリでの共同協議から統一的に関連して生み出されたものである。S．イゲタの以下のような指摘は鋭く機知に富んだもの остроу́мно замеча́ние С. Игеты だ。ミハイル・バフチンのロシア文学における作家と主人公の問題についての書かれなかった章は、プンピャンスキイのテーゼを発展させたものだったことが大いに考えられる（С.451）。
6. Н.Д. Тамарче́нко «Эсте́тика слове́сного тво́рчества» Бахтина́ и ру́сская религио́зная филосо́фия М.,2001.で引用。
7. И.А. Есау́лов «Родно́е» и «вселе́нское» в рома́не «Идио́т». 21 век гла́зами Достое́вского. М.,2002.
8. И.А. Есау́лов «Родно́е» и «вселе́нское» в рома́не «Идио́т». Достое́вский. Материа́лы и иссле́дования. СПб,2005.で引用。
エサウーロフ氏は、千葉の街を歩きながら「我々が今やっていることをあなたは 20 年も前にやっていた」と私に語った。

ロシア史ノート

by Igeta

ミハイル・バフチンのドストエフスキイ論が書かれるまで
★は日本の歴史

前9世紀—後3世紀　ザカフカス、中央アジア、黒海沿岸にウラルトゥなどの古代国家成立」(★日本では聖徳太子574年—622年、遣隋使を派遣するなど進んでいる中国の文化・制度を学び冠位十二階や十七条憲法を定めるなど天皇を中心とした中央集権国家体制の確立を図った他、仏教を取り入れ神道とともに厚く信仰し興隆につとめた。)

9 世紀以前にはスラヴ人は文字を持たなかったため、固有の神話テクストを記録として持たない。雷神ペルーン、家畜と富の神ヴェールス、太陽神ダージボグとホルス、火の神スヴァローグなど。
潤える母なる大地 Мать сыра земля も神格としてあったとされる

9世紀　ヴァリャーギ(ノルマン人か)の南下活発となる

862　ヴァリャーギのリューリクがノヴゴロドに到来。
キエフ・ルーシ誕生。

989 頃　キエフのウラジーミル大公がルーシ統一のためにキリスト教を国教に（それまでは各民族と同様に多神教だった。スラヴの神々の神話体系は不明瞭)。

1039　キエフ聖ソフィア大聖堂建立。

1113　『原初年代記』編まれる。

1237　バトゥのモンゴル軍が侵入。〈タタールのくびき〉の始まり（→1480）

1276 頃　モスクワ大公国の発展始まる。

1340 頃　セルギー・ラドネシスキーがセルギーエフ・ポサードにトロイーツェ・セルギエフ修道院創設。

1506　ドストエフスキイの先祖がピンスク公からドストエヴォ村を賜る。

1533　イワン雷帝即位（—84)。

1549　フランシスコ・ザビエルが鹿児島に来て、キリスト教を日本に伝える。

1598　リューリク朝断絶。ボリス・ゴドゥノーフがツァーリに選出される。

(★1603－1867　日本では江戸時代)

1649　農奴制が法的に完成。

1654　総主教ニコンの典礼改革→分離派（ラスコーリニキ）の発生。

1682　分離派（ラスコーリニキ）の指導者アヴァクーム処刑。

1682　ピョートル大帝即位（－1725)。
1703　サンクト・ペテルブルグ建設開始。
1725　科学アカデミー創設。
1755　モスクワ大学創立。
1762　エカチェリーナ2世即位。
1789　ドストエフスキイの父ミハイル、ポドーリヤのロシア正教とカトリックの宗教合同派の司祭の家に生まれる。
1775　プガチョフの乱（－75)。
1792　カラムジン『あわれなリーザ』
ドストエフスキイの母マリア、モスクワの商人の家に生まれる。
1812　ナポレオンのモスクワ遠征。
1813　ロシア聖書協会設立。
1816　カラムジン「ロシア国史」(－25)
1819　サンクト・ペテルブルグ大学創立。
父ミハイルと母マリア、結婚。
1820　長男ミハイル誕生。
1821　ナポレオン死去。
この年、フョードル・ドストエフスキイ（作家）生まれる。作家自身、ナポレオンと筆跡が似ていることを自慢していた。
1823　ロシア語の新約聖書出版。
1824　ペテルブルグで大洪水。
1825　デカブリストの乱。
プーシキン『ボリス・ゴドゥノーフ』
1831　ゴーゴリ『ディカーニカ近郷夜話』
1834　プーシキン『スペードのクイーン』
1836　ゴーゴリ『鼻』
1839　父ミハイル死去。
1840　レールモントフ『現代の英雄』　《ロシアに神話学派》
1846　ドストエフスキイ『貧しき人々』でデビュー。
1849　ペトラシェフスキイ事件（4月皇帝官房第三部による捜索と逮捕。12月、処刑場で銃殺刑直前に特赦)。
1849　ニコライ1世、検閲を強化。外国旅行は事実上不可能に。
1849　ドストエフスキイ『ネートチカ・ネズワーノワ』
1851　ロンドン万国博覧会開催。
1852　ナポレオン3世即位。トルストイ『幼年時代』

1853　クリミヤ戦争。ロシア艦隊がトルコ艦隊を滅ぼす。

（★1853　日本ではペリー来航）

1855　ニコライ1世死去。アレクサンドル2世即位。《ロシアに文化史学派》

（★1855　プチャーチン来航、下田で「日露通航条約」締結）

1859　ゴンチャローフ『オブローモフ』、ツルゲーネフ『貴族の巣』

1861　ロシアの農奴解放宣言。アメリカ南北戦争。「時代」誌発刊。

1861　ドストエフスキイ『《死の家》の記録』『虐げられし人々』

1863　アメリカ奴隷解放宣言。

1864　「世紀」誌発刊。トルストイ『戦争と平和』(~ —76)

1865　ナポレオン3世『ジュリアス・シーザー伝』

1865　アファナーシエフ『スラヴ諸民族の詩的自然観』

1866　ドストエフスキイ『罪と罰』

1866　カラコーゾフによる皇帝暗殺未遂事件。

1867　ドストエフスキイとアンナの結婚。夫妻は4年間にわたる西欧放浪の旅に。『白痴』

（★1867　日本では大政奉還）

（★1868　日本では北村透谷生まれる）

1871　ドストエフスキイ『悪霊』

《このころロシアに歴史詩学・比較文学》

1874　ムソルグスキーのオペラ『ボリス・ゴドゥノーフ』上演。

1875　樺太・千島交換条約

（★1877　日本では福澤諭吉『文明論之概略』）

1877　トルストイ『アンナ・カレーニナ』、ガルシン『4日間』

1879　ドストエフスキイ『カラマーゾフの兄弟』

1881　ドストエフスキイ、喀血が続き、肺結核の進行に伴う肺動脈破裂で死去。

1885　ニーチェ『ツァラトゥストラはかく語りき』

1886　ニーチェ『悲劇の誕生』

1990　ニーチェの遺稿集『権力の意志』

1902　レーニン『何をなすべきか』、ゴーリキイ『どん底』初演。

1890～1900　ロシアに《индивидуализм》

1905　サンクト・ペテルブルクでイワーノフの主宰する「塔」　シンボリズム

1910—1930年半ば　フォルマリズム

1911　イワーノフ『ドストエフスキイと悲劇＝小説』

1914　第1次世界大戦。

1917　十月革命。

1918　現在のベラルーシの国境に近い小都市ネヴェリに哲学サークルが生まれる（バフチンを含む）。

1920　ザミャーチン『われら』

1922　プンピャンスキイ『ドストエフスキイと古代文化』

1922 まで　国外亡命（イワン・ブーニン、バリモント、メレシコフスキイ、アンドレーエフ、マリーナ・ツヴェターエワら）パリ、ベルリン、プラハにロシア人の文学サロン。

1925　マヤコフスキイ『これについて』

1928　「左翼 3 時間の夕べ」オベリウのマニュフェスト、パステルナーク『わが妹人生』

1929　バフチン『ドストエフスキイの創作の諸問題』

1934　第 1 回全ソ作家大会開催「社会主義リアリズム」が作家同盟の規約として明文化。

1936　大粛清。ダニイル・ハルムス『墜落する老婆たち』

1939　ダニイル・ハルムス『老婆』

1940　ショーロホフ『静かなドン』完結

1941　第 2 次世界大戦（大祖国戦争）（～45 年）

1957　パステルナーク『ドクトル・ジバゴ』、ソ連スプートニク衛星の打ち上げ。

1962　ソルジェニーツィン『イワン・デニーソヴィチの一日』

1963　バフチン『ドストエフスキイの詩学の諸問題』

1973　ヴェネディクト・エロフェーエフ『酔いどれ列車、モスクワ発ペトゥシキ行』、イスカンデール『チェゲムのサンドロおじさん』

1986　チェルノブイリ原発事故、グラースノスチとペレストロイカ路線へ。

1991　ソ連崩壊。

2000　トルスタヤ『クイシ』

あとがき

私もまた、夜を徹してドストエフスキイに読み耽り、朝の光が差して来た時は、自分が別の人間のようになっていて、世界が変わって見えるという《ドストエフスキイ体験》を持っている。

多くの人々にこの喜びを味わってもらいたい、という気持ちが、この本を書いた一番の動機だ。

ドストエフスキイをいつかはロシア語原文で読んでみたい。そのためには、語釈と文法の知識が必要だ。まず力を入れたのは原文の読み方をお伝えすることだ。それには「対訳」という方法が有効だろう。本書は、『罪と罰』から、著者が一番魅力的と思う25のシーンを取り上げて、細かく語釈を付けた。独習者やロシア語の基礎を学び終えたばかりの人にとっては難しい語や文法事項について、初級文法では身に付かないと思われるレベルに焦点を当てて、丁寧に読んでいく。

ところで第2課でさっそく出てくる Се человек. だが、日本で最初の訳は、なんと、「この野郎」だった。文字通りの訳はそうなる恐れがある。次に「これも人なり」という訳が出た。苦心の訳だ。「見よ、この人だ」という訳が定着するまでには何人もの訳者が悩んできた。今では新約聖書の知識が日本側にも共有されているので、ローマの護民官ピラトが、この男には罪無しとして、茨の冠と緋色のマントをかけて、キリストを道化として人々の前に突き出し「おまえたちが処刑を要求しているのはこんなつまらない人だ。見よ、そして笑ってやれ」と言った。その言葉だとわかる。

また、ラスコーリニコフが我に返るとラズミーヒンが「伯爵夫人のうわごとなんか言わなかったぜ」と茶化す。プーシキンの『スペードのクイーン』の主人公ゲルマンが伯爵夫人の館に忍び込んで、勝てる3枚のトランプの出し方を聞き出すが、夫人は息絶える、というメインプロットを一語で暗示する、という仕掛けになっている。ロシアの読者ならニヤリとするところだ。

このように深く読む方法を【鑑賞の手引き】で道案内した。『罪と罰』の全体に見事に織り込まれているこうした「読者との秘密の回路」を開く楽しみを味わっていただきたい。ドストエフスキイを読む醍醐味に触れていただき、もっと知りたいという気持ちが生まれたら、『罪と罰』全体をその目で読めるようになるだろう。さらに『白痴』、『悪霊』、『カラマーゾフの兄弟』へと進んでいくための目を養ってほしい。その第一歩を踏み出すのは「今でしょ！」(笑)。

本書を読んでいくと文学研究の理論が自然に身に付く、という欲張った作りになっている。おまけに巻末には国際シンポジウムで高い評価を得た私の論文が「特別付録」として付されている。ロシア語論文の書き方までカバーしている、類書にない構成を考えた。ドストエフスキイの小説に入門するところから、文学理論を身に付け、国際学会で活躍するにいたるまでの体験を語った。

また、現代日本の作家たちも、ドストエフスキイの作品から、様々な影響をうけている。【日本では】という欄にそのことを示して、現代に及ぼしているドストエフスキイ文学の意味を考えるためのヒントを提出した。読者の皆様への私からの謎かけだ。

なお、本書を準備している時期に、『罪と罰』の対訳本が世に出た。望月哲男氏訳・解説の「ロシア語対訳 名場面でたどる『罪と罰』」(NHK 出版、2018 年 6 月)である。取り上げた個所も、また解説の視点や内容も異っており、本書を出版する意義は大きいという結論を得た。「ドストエフスキイのような作家についてなら何冊あってもおかしくない」との意見も出た。

本書のロシア語部分のチェックをしていただいた Владимир Филатов さんに感謝します。ペテルブルグ生まれの同氏からは、貴重なお話をいろいろと聞くことができた。

早稲田大学で私が教えた最初の 1 年生であり、今もロシア語の勉強をつづけている福原泉さんには、貴重なアドバイスをいただいた。長年の友誼にこの場を借りて感謝を申し上げたい。このクラスの「優柔不断の会」のメンバーも定年を迎えた。

本書の出版にあたっては、早稲田大学教授の坂庭淳史氏、准教授の八木君人氏に貴重なアドバイスをいただいた。文学部講師の粕谷典子氏には資料をお送りいただいた。感謝申し上げたい。

さらに、講師の上野理恵氏、桜井厚二氏、高柳聡子氏、こうして挙げていくと、かつての井桁ゼミのメンバーに助けていただいたことがわかる。感謝に堪えない。

それでも、文法についても、文学研究についても、やや踏み込んだところがある。その責任はひとえに井桁が負うものである。

印刷をテキストと対訳を黒で、【観賞の手引き】と【日本では】を色分けしたいという著者のわがままを実現するなど、ナウカ出版の紙谷直機氏にたいへんお世話になりました。この場を借りて御礼申し上げます。

本書の表紙デザインの案を考案してくれたのは息子である。息子たち、息子の嫁、3 歳の孫と、家族が私の心の支えであった。

この本を、私の大切な妻、和美にささげます。和美の献身的な看病なしでは、私の回復はなかった。従って本書も生まれなかった。

2021 年 5 月　　井桁 貞義

テキストと主要参考文献

テキストには、4 種類の『罪と罰』を参照した。

Ф. М. Достоевский. Преступление и наказание. Том 2. СПб., 1867.

Ф. М. Достоевский. Преступление и наказание. Издание подготовили Л.Д. Опульская и Г.Ф. Коган. М., 1970.

Ф. М. Достоевский. Полное собрание сочинений в 30 томах. Том шестой. Преступление и наказание. Л., 1973.

Ф.М. Достоевский. Полное собрание сочинений：Канонические тексты. Том7. Преступление и наказание. Петрозаводск, 2007.

《主要参考文献》邦語文献は主として最近のものから選んでいる。

М.М. Бахтин. Проблемы поэтики Достоевского. Изд. 4- е. М., 1979.

(邦訳 1) M. バフチン『ドストエフスキイ論 — 創作方法の諸問題』新谷敬三郎訳、冬樹社、1968 年

(邦訳 2) M. バフチン『ドストエフスキイ論 — 創作方法の諸問題』新谷敬三郎訳、冬樹社、1974 年

(邦訳 3) ミハイル・バフチン『ドストエフスキーの詩学』望月哲男、鈴木淳一訳、ちくま学芸文庫、1995 年

М.М. Бахтин. Формы времени и хронотопа в романе.(「小説における時間と時空間の諸形式」北岡誠司訳『ミハイル・バフチン全著作』第 5 巻所収、水声社、2001 年)

С.В. Белов. Роман Ф. М. Достоевского《Преступление и наказание》Комметарий. Л., 1979.(「セルゲイ・ベローフ『罪と罰』注解」江川卓監修、糸川紘一訳、群像社、1990 年)

ボリス・トマシェフスキイ「テーマ論 Тематика」(新谷敬三郎、磯谷孝編訳『ロシア・フォルマリズム論集』 現代思潮社、1971 年所収)

藤沼貴、水野忠夫、井桁貞義共編『はじめて学ぶロシア文学史』ミネルヴァ書房、2003 年

城田俊、八島雅彦『現代ロシア語文法 中・上級編』 東洋書店新社、2016 年

Ad de Vries. Dictionary of Symbols and Imagery. アト・ド・フリース『イメージ・シンボル事典』 大修館書店、1984 年

Достоевский: Сочинения, письма, документы. СПб., 2008.

Русский ассоциативный словарь. Том 2. М., 2002 .

Толковый словарь русского языка с включением сведений о происхождении слов. Отв. Ред. Н.Ю. Шведова. М., 2008.

Новый энциклопедический словарь. М., 2013.

Ando Atsushi, Urai Yasuo and Mochizuki Tetsuo, eds., A Concordance to Dostoevsky's Crime and Punishment, 3 vols, ix+1428, Sapporo: Hokkaido Univ, 1994.

江川卓『謎とき「罪と罰」』(新潮社、1986年)

当時の日本のドストエフスキイ論としては出色。ただ全体としての方法論の意識が弱い。「この満月は現実の風景から来たものではなく、青年の心の深層にあった「太陽」が血の色に似た「赤銅色」の化粧で現れたものと占える」(43 ページ)という説は疑問だ。「金貸しのおみつ婆さんは、ドストエフスキイの想像力の中で、もともとが魔女ババ・ヤガーになぞられていた」というところは面目躍如。『罪と罰』が 13日間のできごととしているのは間違い(本書「『罪と罰』カレンダー」を参照)。

亀山郁夫『「罪と罰」ノート』(平凡社新書458、2009年)

疑問点はたくさんある。「こうして第1部は終わる」とあるが(111 ページ)それは第2部の終わりである、など。最も本質的な問題は「福音書には、殺人者と、娼婦はゆるされない、とある」(191 ページ)という点だ。旧約聖書では神は娼婦に厳しかったが、福音書ではキリストは娼婦に「安心せよ」と言っている。遠藤周作によると『罪と罰』をはじめ、フランスのモーリアックやベルナノスなど多くのキリスト教作家の小説はキリストのこの言葉の上に構築されている(『聖書のなかの女性たち』講談社文庫、1972年)。

芦川進一『「罪と罰」における復活』(河合出版、2017年)

誠実さにあふれた書。スヴィドリガイロフが「どこか大きな茂みを見つけるんだ、ちょっと肩が触れただけの、何百万ものしずくがざっと頭に降りかかってくるような茂みを」という箇所が重要な点として指摘されている(248 ページ)が、それでも私にはニヒリスト・スヴィドリガイロフの言葉の印象が圧倒的に残っている。

貝澤哉『引き裂かれた祝祭』(論創社、2007年)

高橋誠一郎『「罪と罰」の受容と「立憲主義」の危機　北村透谷から島崎藤村へ』(成文社、2019年)

著者が最近取り組んでいるドストエフスキイの作品と日本の状況を結び付けている好著で、ライフワークのひとつとなるだろう。自己の国の歴史の中でロシアの小説がどのような役割を果たしたか、を追求することは健全な仕事である。

井桁貞義『ドストエフスキイ　言葉の生命』(群像社、2003年)

第1部「聖書と語らう」第2部「ロシアと語らう」では「大地—聖母—ソフィア」「ピョートル大帝」「プーシキン」など、第3部「ヨーロッパと語らう」ではシラー、ナポレオン、ヴォルテール、ゲーテ、ロシア文学の《分身》たち、ポオとホフマン、アンドレーエフ、第4部「ドストエフスキイと語らう」ではシンボリストたち、「イワーノフ — ブンピャンスキイ — バフチン」、第5部「アジアでの語らい」。

井桁貞義『ドストエフスキイと日本文化』(教育評論社、2011年)

夏目漱石や島崎藤村、太宰治、「ドストエフスキイの時代」「ドストエフスキイと黒澤明」「村上春樹とドストエフスキイ」など。

著者紹介

井桁貞義（いげた・さだよし）

1948年神奈川県にて生まれる。1977年より40年間早稲田大学に勤務。講師、助教授、教授を歴任。この間に東京大学、東京外国語大学、日本大学、天理大学、札幌大学、NHKテレビ「ロシア語会話」（1995年）NHKラジオ「ロシア語講座」（2006年）の講師を務める。2014年に退職。早稲田大学名誉教授。元日本ロシア文学会会長。2014年に新たに設けられた第1回日本ロシア文学会大賞を受賞。

単著に

『ドストエフスキイ』清水書院、1989年
『現代ロシアの文芸復興「ルネサンス」』群像社、1991年
『文学理論への招待』早稲田大学、2001年
『ドストエフスキイ・言葉の生命』群像社、2003年
『名作に学ぶロシア語』ナウカ出版、2008年
『文化の境界 境界の文化』早稲田大学出版会、2008年
『ドストエフスキイと日本文化』教育評論社、2011年

編纂に

『コンサイス露和辞典　第5版』三省堂、2002年　電子辞書　2008年
『コンサイス和露辞典　第3版』三省堂、2005年　電子辞書　2008年

編集協力に

『新スラヴ・日本語辞典　日本版　ゴンザ編』村山七郎編、井桁貞義・輿水則子協力、ナウカ、1985年

共著に

『非常事態のソ連』宝島社、1990年
『ソビエト・カルチャー・ウォッチング』窓社、1991年
「特集　ソビエト、詩、小説、音楽の最前線」『現代詩手帖』1991年5月
「総展望　ソ連カルチュア・マップ」『ユリイカ』1991年5月
『199X年 のユートピア・ヴィジョン』阿部出版、1994年
『こんにちわ、ロシア語』（共著者は山崎紀美子）くろしお出版、1994年
『ロシア語、次のステップ』（共著者は山崎紀美子）くろしお出版、1994年
『ドストエフスキイ文献集成』（共編者は本間暁）大空社、1996年
『現代ロシア文化』（共著者は望月哲男、沼野充義、亀山郁夫）国書刊行

会、2000年
『はじめて学ぶロシア文学史』（共著者は藤沼貴、水野忠夫）ミネルヴァ書房、2003年
『1Q84スタディーズ』（共著者はジェイ・ルービン、藤井昭三、渡部泰明ほか）若草書房、2009年
『スラヴャンスキイ・バザアル — ロシアの文学・演劇・歴史』（共編者は伊東一郎、長與進）水声社、2021年

訳書・共訳書に
『ユートピア旅行記叢書 第9巻（東欧、ロシア）』（沼野充義、草野慶子と共訳）岩波書店、1998年
マルガリータ・冨田『ロシア・エチケットへの旅』東洋書店、2000年
ソルジェニーツィン『廃墟のなかのロシア』（上野理恵、坂庭淳史と共訳）草思社、2000年
マルガリータ・冨田『ロシア人・生まれてから死ぬまで』東洋書店、2003年
ハルムス『ハルムスの小さな舟』長崎出版、2007年
ドストエフスキイ『やさしい女・白夜』講談社文芸文庫、2010年

ロシア語論文

1. Славянский фольклор в произведениях Ф. М. Достоевского. «Земля» у Достоевского: «Мать сыра земля» – «Богородица» – «София» // Comparative and Contrastive Studies in Slavic Languages and Literatures, Tokyo: Japanese Associations of Slavists, 1983. P. 75-87.
2. Иванов – Пумпянский – Бахтин // Comparative and Contrastive Studies in Slavic languages and Literatures, Tokyo: Japanese Associations of Slavists, 1988. P. 81-91.
3. Тарковский в Японии // Киноведческие записки, 14, 1992. С.111-113.
4. Достоевсий в японской литературе второй половины XX века. в кн. XXI век глазами Достоевского: перспективы человечества. М., 2002. С. 419-424.

外国語に翻訳されたもの

1. ポーランド語への翻訳として、Iwanow – Pumpianski – Bachtin // Przeglad Humanistyczny. 6, 1989.
2. 韓国の新聞のインタビュー。通訳を伴って、日本文化のなかの「オタク」

という語感に関するものであった。

기세계만 몰입 '나약한 개인주의'（自分の世界だけに没頭する「弱い個人主義」）일본 신문화 탐험⑪　오타쿠　뭔가에 지나치게 빠져있는 사람들（日本最新文化探検⑪　オタク　何かに過剰に打ち込む人々　韓国語）（「스포츠 투데이　（スポーツ・トゥデイ）」2000年1月27日）

3. 韓国で「世界の文学」シリーズの企画が出たとき、韓国には日本ほどに書き手を確保できない、と判断され、日本のものの翻訳をすることになったと聞く。間違いないように書く、という責任は、日本語読者だけに対するものではないと実感する。

私はロシア文学の19世紀前半の責任編集を依頼された。

러시아의　문학과　혁명　:　푸시킨,　도스토옙스키,　톨스토이,　체호프,　고리키　（『ロシアの文学と革命　:プーシキン、ドストエフスキー、トルストイ、チェーホフ、ゴーリキー』韓国語　底本：週刊朝日百科『世界の文学シリーズ』）（웅진지식하우스）2010年

4. 文学を、特に長編小説を読むきっかけになればと思って引き受けた企画である。饗庭孝男氏, 亀井俊介氏, 神品芳夫氏, 小林 章夫氏とともに執筆。ロシア文学が巻頭に配置されている。

『一本讀通世界文學名著』（『世界文学のすじ書き』　中国語 台北市 商周　2011年）

5. 単行本としては初めての訳本。ここ10年ほどテーマとしている「異文化コミュニケーション論」という、新しい領域を扱っている。

문화의 경계 경계의 문화 : 이문화 커뮤니케이션론의 구상 이게타사다요시

저/조강희 역도서출판인문사 （『文化の境界　境界の文化：異文化コミュニケーション論の構想』　韓国語）（도서출판인문사）2013年

6.「陀思妥耶夫斯基与黑泽明——围绕《白痴》的谈话」（ドストエフスキイと黒澤明——『白痴』をめぐる語らい））

『黑泽明之12人狂想曲』上海人民出版社、2019年

著者が書いた新聞記事を時代順に並べたもの

（ベルリンの壁崩壊1989年11月、ソ連解体1991年12月）

言葉の芸術家ドストエーフスキイ　国際シンポジウムに参加して　日本、ソ連の参加で研究の視野広がる　「読売新聞」1977年10月11日（夕刊）

スラブを見つめる　キエフで国際会議　交流深め着実な成果　高まる「組織的」機運　「読売新聞」1983年11月1日（夕刊）

“世界で最初“のゴンザの露和辞典　250年前、日本青年の手で　「毎日新聞」1985年4月8日（夕刊）

開かれたソ連社会の一里塚　タルコフスキー国際シンポジウムに参加して　停滞の時代、強く批判　現役監督の姿は少なく　「朝日新聞」1989年5月25日（夕刊）

20世紀各国文化が混在　モスクワで過ごした5か月間　激動するソ連文化界　三島からサルトルまで　ロシアの根源探る動きも　「読売新聞」1989年12月1日（夕刊）

若者たち『聖書の世界』に強い関心　『罪と罰』など題材に探る西欧　早大文学部の総合研究講座　（記者による記事の中で）「朝日新聞」1994年3月15日（夕刊）

現代大学生の「ユートピア」　早大の385人の声　本に　「理想都市」に反発「桃源郷」には共感（記者による記事）「朝日新聞」1994年12月13日（夕刊）

井桁貞義さんと読者が考える現代のユートピア　「朝日新聞」1995年3月14日（夕刊）

“新しい社会”への夢想　ロシア正教会修道院を訪ねて　「産経新聞」1997年10月11日（夕刊）

宗教回帰のロシア　モスクワ建都850年　文学の旅にて　修道院が憧れの地に「読売新聞」1997年12月4日（夕刊）

今に生きるドストエフスキイ　描いた若者群像、現代日本に酷似　「北海道新聞」2004年9月1日（夕刊）

追悼アレクサンドル・ソルジェニツィン　一貫して自由を訴え、祖国と民衆を愛し、魂の復興を求めた　「図書新聞」2008年8月30日

藤沼貴さんを悼む　トルストイの卓抜な研究と優れた翻訳　「毎日新聞」2012年2月16日（夕刊）

『罪と罰』いま読み解くドストエフスキイ
―『名作に学ぶロシア語』読本シリーズ ―

定価は裏表紙に表示してあります

2021 年 7 月 20 日 初版第 1 刷発行

著 者 井 桁 貞 義

発行者 紙 谷 直 機

発行所 株式会社ナウカ出版

〒354-0024 埼玉県富士見市鶴瀬東 1-5-13, 102

Tel /Fax 049-293-5565

URL: http://www.naukapub.jp

Email: kniga@naukapub.jp

印刷所 七月堂

ISBN978-4-904059-12-8 C3087